INDOMÁVEL

INDOMÁVEL

GLENNON DOYLE

Tradução
Giu Alonso

Rio de Janeiro, 2024

Copyright © 2020 by Glennon Doyle
All rights reserved.
Título original: *Untamed*

Todos os direitos desta publicação são reservados à Casa dos Livros Editora LTDA. Nenhuma parte desta obra pode ser apropriada e estocada em sistema de banco de dados ou processo similar, em qualquer forma ou meio, seja eletrônico, de fotocópia, gravação etc., sem a permissão do detentor do copyright.

Diretora editorial: *Raquel Cozer*

Gerente editorial: *Alice Mello*

Editor: *Ulisses Teixeira*

Copidesque: *Marcela Isensee*

Preparação de original: *Marina Góes*

Revisão: *Carolina Vaz*

Capa: *Lynn Buckley*

Adaptação de capa: *Guilherme Peres*

Diagramação: *Abreu's System*

CIP-Brasil. Catalogação na Publicação
Sindicato Nacional dos Editores de Livros, RJ

D784i

    Doyle, Glennon, 1976-
       Indomável / Glennon Doyle ; tradução Giu Alonso. – 1. ed.
  – Rio de Janeiro : Harper Collins, 2020.
      320 p.

      Tradução de : Untamed
      ISBN 9786555110524

      1. Doyle, Glennon, 1976-. 2. Escritores americanos –
  Biografia. 3. Memória autobiográfica. 4. Autorrealização.
  I. Alonso, Giu. II. Título.

20-66280
                        CDD: 928.1
                        CDU: 929:821.111(73)

Camila Donis Hartmann – Bibliotecária – CRB-7/6472

Agradecimentos a M. Peck Scott (A estrada menos percorrida) e a William James (*The Varieties of Religious Experience*) pela introdução em "a ordem invisível das coisas".

Como acréscimo, um agradecimento de gratidão ao professor Randall Balmer, cujo artigo de 2004 publicado no *Politico* "The Real Origins of Religious Right" me muniu de informação e impactou o capítulo "Adesivos" deste livro.

Agradeço e reconheço a permissão de uso para o seguinte material previamente publicado:

Daniel Ladinsky: "Dropping Keys", adaptado do poema Hafiz de Daniel Ladinsky em *The Gift: Poems by Hafiz*, de Daniel Ladinsky, copyright © 1999 de Daniel Ladinsky. Publicado mediante permissão.

W.W. Norton & Company, Inc.: cinco versos de "A Secret Life" de *Landscape at the End of the Century*, de Stephen Dunn, copyright © 1991 de Stephen Dunn. Publicado mediante permissão.

Writers House LLC: trecho de "Letter from a Birmingham Jail" de Dr. Martin Luther King Jr., publicado na TheAtlantic.com. Esse artigo aparece na edição especial dedicada a MLK com a chamada "Letter From Birmingham Jail" e foi publicado na edição de Agosto de 1963 da *The Atlantic* sob "The Negro Is Your Brother," copyright © 1963 de Dr. Martin Luther King Jr. e copyright renovado em 1991 de Coretta Scott King. Reproduzido sob permissão dos herdeiros do espólio de Martin Luther King Jr., c/o Writers House servem como agentes do proprietário. Nova York, NY.

Os pontos de vista desta obra são de responsabilidade de seu autor, não refletindo necessariamente a posição da HarperCollins Brasil, da HarperCollins*Publishers* ou de sua equipe editorial.

HarperCollins Brasil é uma marca licenciada à Casa dos Livros Editora LTDA.
Todos os direitos reservados à Casa dos Livros Editora LTDA.
Rua da Quitanda, 86, sala 218 — Centro
Rio de Janeiro, RJ — CEP 20091-005
Tel.: (21) 3175-1030
www.harpercollins.com.br

Para cada mulher ressuscitando a si própria.
Para as garotas que nunca serão enterradas.

Acima de tudo: para Tish

Sumário

Prólogo: Guepardo   11

Parte um: Enjaulada

Faíscas   17

Maçãs   21

Oral   23

Sugestões   25

Ursos-polares   27

Marcas   31

Algoritmos   35

Reuniões   37

Regras   39

Dragões 41

Braços 45

Parte dois: Chaves

Sentir 63

Saber 67

Imaginar 73

Deixe queimar 81

Parte três: Livre

Aflição 89

Fantasmas 99

Sorrisos 103

Objetivos 105

Adam e Keys 107

Orelhas 109

Termos 113

Erikas 119

Casas de praia 123

Temperaturas 127

Espelhos 129

Olhos 131

Jardins 135

Votos 139

Árvores de Toque 147

Baldes 151

Bordo 153

Diretrizes 157

Poemas 161

Meninos 165

Conversas 175

Florestas 179

Cream cheese 181

Bases 183

Ilhas 189

Pedregulhos 195

Banhos de sangue 199

Racistas 203

Perguntas 219

Permissões 223

Concessões 225

Nós 227

Adesivos 231

Deusas 239

Conflitos 241

Rios 245

Mentiras 249

Entregas 251

Invasores 265

Zonas de conforto 275

Bonder 279

Sortudas 287

Ondas 289

Castelos de areia 293

Guitarras 295

Tranças 299

Segundos 303

Ideias 307

Margens 309

Níveis 311

Epílogo: Humana 313

Agradecimentos 315

Prólogo

Guepardo

Dois verões atrás, eu e minha esposa levamos nossas filhas para o zoológico. Enquanto caminhávamos, vimos uma placa anunciando o maior evento do local: a Corrida do Guepardo. Seguimos as famílias que buscavam os melhores lugares para assistir e encontramos uma parte vazia perto do percurso. Nossa filha mais nova, Amma, subiu nos ombros da minha esposa para ver melhor.

Uma tratadora loira e animada com um colete cáqui apareceu, segurando um megafone e a coleira de um labrador amarelo. Fiquei confusa. Não sei muito sobre animais, mas se ela ia tentar convencer minhas filhas de que aquele cachorro era um guepardo, eu ia pedir um reembolso.

Ela começou a falar:

— Bem-vindos, pessoal! Vocês estão prestes a conhecer nossa guepardo, que se chama Tabitha. Vocês acham que essa é a Tabitha?

— Nãããão! — gritaram as crianças.

— Essa labradora fofinha aqui é a Minnie, a melhor amiga da Tabitha. Nós apresentamos as duas quando Tabitha era uma filhotinha, e criamos Minnie e Tabitha uma ao lado da outra para domá-la. Tudo que a Minnie faz, a Tabitha também quer fazer.

A tratadora fez um gesto para um jipe estacionado atrás dela. Um coelhinho de pelúcia cor-de-rosa estava amarrado ao para-choque com uma corda esfiapada.

Ela perguntou:

— Quem tem um labrador em casa?

Várias mãozinhas se ergueram.

— Seu labrador gosta de brincar de pique-pega?

— Siiiim! — gritaram as crianças.

— Bom, a Minnie ama correr atrás desse coelhinho. Então, primeiro Minnie vai fazer a Corrida do Guepardo enquanto Tabitha observa, para se lembrar de como se faz. Então vamos fazer uma contagem regressiva, vou abrir a jaula da Tabitha e ela vai correr. No final do percurso tem um bife delicioso esperando por ela.

A tratadora tirou a cobertura da jaula de Tabitha e levou Minnie, animada e ofegante, até a linha de partida. Fez um sinal para o jipe, que acelerou. A jovem soltou a coleira de Minnie, e todos observamos enquanto a labradora amarela se divertia perseguindo um coelhinho cor-de-rosa encardido. As crianças aplaudiram loucamente. Os adultos secaram o suor da testa.

Finalmente era a vez do grande momento de Tabitha. Todos fizemos a contagem regressiva em uníssono: "Cinco, quatro, três, dois, um..." A tratadora abriu a porta da jaula e o coelhinho foi levado mais uma vez. Tabitha disparou, totalmente concentrada no coelho, um pontinho borrado. Ela cruzou a linha de chegada em segundos. A tratadora apitou e jogou um bife para Tabitha, que prendeu-o no chão com as patas fofas e gigantescas, se abaixou e começou a mastigar, enquanto o público aplaudia.

Eu não bati palmas. Estava enjoada. A domesticação de Tabitha parecia... familiar.

Fiquei observando Tabitha mastigando o pedaço de carne no chão de terra do zoológico e pensei: *Dia após dia, este animal selvagem corre atrás de um coelhinho sujo de pelúcia rosa através de uma pista estreita e conhecida que as pessoas criaram para ela. Sem nunca olhar para a direita ou para a esquerda. Sem nunca pegar aquele maldito coelho, se contentando com um bife do mercado e com a aprovação distraída de estranhos suarentos. Obedecendo a todas as ordens dos tratadores, exatamente como Minnie, a labradora que ela foi treinada a acreditar que é. Sem perceber que, caso se lembrasse de sua ferocidade — mesmo que por um só momento —, poderia matar todos os tratadores.*

Quando Tabitha terminou o bife, a tratadora abriu um portão que levava a um pequeno campo cercado. Tabitha entrou, e o portão se fechou atrás dela. A tratadora pegou o megafone de novo e quis saber se alguém tinha alguma pergunta. Uma menininha, de uns nove anos, talvez, ergueu a mão e disse:

— A Tabitha não fica triste? Ela não sente falta da selva?

— Desculpa, não ouvi — disse a tratadora. — Pode repetir?

A mãe da menina falou, mais alto:

— Ela quer saber se a Tabitha sente falta da selva.

A tratadora sorriu e respondeu:

— Não. A Tabitha nasceu aqui. Nunca conheceu outro lugar. Nunca viu a selva. Tabitha tem uma vida boa! Está muito mais segura aqui do que estaria na selva.

Enquanto a tratadora contava alguns fatos sobre guepardos nascidos em cativeiro, minha filha mais velha, Tish, me cutucou e apontou para Tabitha. Naquele campo, longe de Minnie e dos tratadores, a postura de Tabitha mudara. Sua cabeça estava altiva, e ela caminhava pelo perímetro, circundando as fronteiras criadas pela cerca. De lá para cá, de cá para lá, parando somente para encarar algo além da jaula. Era como se ela estivesse se lembrando de algo. Parecia majestosa. E um pouco assustadora.

Tish sussurrou para mim:

— Mamãe, ela ficou selvagem de novo.

Eu assenti para Tish e voltei a encarar Tabitha, que continuava marchando pela área. Gostaria de poder perguntar a ela: "O que está acontecendo dentro de você neste momento?"

Eu sabia o que ela me diria. Ela diria: "Tem alguma coisa *errada* na minha vida. Eu me sinto inquieta e frustrada. Tenho a sensação de que as coisas deveriam ser melhores do que isso. Imagino savanas abertas e horizontes sem cercas. Quero correr e caçar e matar. Quero dormir sob um céu de silêncio e escuridão, cheio de estrelas. *É tudo tão real que quase consigo sentir o gosto.*"

Então Tabitha olharia de volta para a jaula, o único lar que já conheceu. Olharia para os tratadores sorridentes, para o público entediado, para sua melhor amiga ofegante, saltitante, suplicante, a labradora.

Ela suspiraria e diria: "Eu deveria ser grata. Tenho uma vida boa o bastante aqui. É loucura desejar algo que nem existe."

Então eu diria:

Tabitha. Você não é louca.

Você é uma porra de um guepardo.

Parte um

Enjaulada

Faíscas

Quatro anos atrás, casada com o pai dos meus três filhos, eu me apaixonei por uma mulher.

Muito tempo depois, vi aquela mesma mulher indo embora da minha casa para encontrar meus pais e contar a eles sobre o seu plano de me pedir em casamento. Ela achava que eu não tinha ideia do que ia acontecer naquela manhã de domingo, mas eu sabia.

Quando ouvi seu carro voltar, eu me ajeitei no sofá, abri um livro e tentei acalmar meu coração. Ela entrou pela porta e foi direto até mim, se abaixou, beijou minha testa. Tirou meu cabelo do rosto e respirou fundo junto ao meu pescoço, como ela sempre faz. Então ficou de pé e foi para o quarto. Fui até a cozinha pegar um café para ela e, quando me virei, ela estava bem na minha frente, ajoelhada, segurando uma aliança. Seus olhos estavam decididos e suplicantes, arregalados e focados, azuis como o céu, infinitos.

— Eu não consegui esperar — disse ela. — Simplesmente não consegui esperar nem mais um segundo.

Mais tarde, na cama, pousei a cabeça no peito dela enquanto conversávamos sobre sua manhã. Ela dissera aos meus pais: "Eu amo sua filha e seus netos como nunca amei nada antes. Passei minha vida inteira procurando e me preparando para eles. Prometo que vou amá-los e protegê-los para sempre." O queixo da minha mãe tremeu com medo e coragem ao dizer: "Abby, não vejo minha filha tão viva desde que ela tinha dez anos de idade."

Muito mais foi dito naquela manhã, mas aquela primeira resposta da minha mãe se destacou para mim como uma frase em um livro que implora para ser sublinhada:

Não vejo minha filha tão viva desde que ela tinha dez anos de idade.

Minha mãe viu quando a faísca nos meus olhos se apagou no meu décimo ano na Terra. Agora, trinta anos depois, estava testemunhando o retorno dessa luz. Nos últimos meses, toda a minha postura havia mudado. Para ela, eu parecia majestosa. E um pouco assustadora.

Depois daquele dia, comecei a me perguntar: *Aonde aquela faísca foi parar quando eu tinha dez anos? Como eu me perdi de mim mesma?*

Fiz minhas pesquisas e descobri o seguinte: dez anos é a idade em que aprendemos a ser bons meninos e meninas. Dez anos é quando as crianças começam a abrir mão de quem são para se tornar quem o mundo espera que sejam. Dez anos é quando nossa domesticação começa.

Dez anos foi quando o mundo me fez sentar, me disse para ficar quietinha e me mostrou minhas jaulas:

Estes são os sentimentos que você pode expressar.

Esta é a maneira como uma mulher deve se comportar.

Este é o corpo que você deve esforçar-se para ter.

Estas são as coisas em que você vai acreditar.

Estas são as pessoas que você pode amar.

Estas são as pessoas que você deve temer.

Este é o tipo de vida que você deve querer.

Faça-se caber. Vai ser desconfortável de início, mas não se preocupe — mais cedo ou mais tarde você vai esquecer que está enjaulada. Logo isso tudo vai ser simplesmente sua vida.

Eu queria ser uma boa menina, então me rendi às minhas jaulas. Escolhi uma personalidade, um corpo, uma fé e uma sexualidade tão pequenas que tinha que segurar o fôlego para caber dentro delas. Então, de imediato, fiquei muito doente.

Quando me tornei uma boa menina, também me tornei bulímica. Nenhuma de nós é capaz de segurar o fôlego o tempo todo. Era na bulimia que eu expirava. Era onde eu me recusava a ceder, onde eu saciava minha fome e expressava minha fúria. Eu me tornava animalesca durante minhas compulsões diárias. Então me dobrava no vaso sanitário e vomitava porque uma boa menina precisa permanecer bem pequena para caber em suas jaulas. Não pode demonstrar qualquer evidência de sua fome. Boas meninas não são famintas, nem furiosas, nem selvagens. Todas as coisas que tornam uma mulher humana são os segredos mais sujos de uma boa menina.

Na época, eu suspeitava de que minha bulimia significava que eu era louca. No ensino médio, fui internada em um hospital psiquiátrico e isso se confirmou.

Hoje eu me entendo de outra forma.

Eu era só uma menina enjaulada feita para ser livre.

Eu não era louca. Eu era uma porra de um guepardo.

Quando vi Abby, me lembrei de como era ser selvagem. Eu a queria, e era a primeira vez que eu queria algo além do que tinha sido treinada para querer. Eu a amava, e era a primeira vez que eu amava algo além do que me era esperado amar. Criar uma vida com ela foi a primeira ideia original que já tive, e a primeira decisão que tomei como uma mulher livre. Depois de trinta anos me contorcendo para caber na concepção de amor de outras pessoas, finalmente tinha um amor que me cabia — feito só para mim, por mim. Finalmente me perguntei o que eu queria em vez de o que o mundo queria de mim. Eu me sentia viva. Tinha provado da liberdade e queria mais.

Então examinei profundamente minha fé, minhas amizades, meu trabalho, minha sexualidade, minha vida inteira, e me perguntei: quanto disso tudo foi minha ideia? Eu quero mesmo essas coisas, ou foi isso que fui condicionada a querer? Quais das minhas crenças são criações minhas e quais foram programadas no meu sistema? Quanto de quem me tornei é inerente, e quanto foi só herdado? Quanto da forma que me apresento e falo e me comporto é só como outras pessoas me treinaram a me apresentar, a falar, a me comportar? Quanto do que passei a vida perseguindo são só coelhos de pelúcia sujos? Quem eu era antes de me tornar quem o mundo me ensinou a ser?

Com o tempo, eu me afastei das minhas jaulas. Lentamente construí um novo casamento, uma nova fé, uma nova visão de mundo, um novo propósito, uma nova família e uma nova identidade criada por mim, não por padrão. Vindos da minha imaginação em vez de da minha doutrinação. Vindos da minha ferocidade, não da minha domesticação.

Agora vou contar sobre como fui enjaulada... e sobre como me libertei.

Maçãs

Tenho dez anos e estou sentada em uma salinha nos fundos da Igreja Católica da Natividade com outras vinte crianças. Estou no catecismo, a que meus pais me levam às noites de quarta para aprender sobre Deus. Nossa professora do catecismo é a mãe de um colega. Não lembro o nome dela, mas lembro que ela não parava de dizer que era contadora durante o dia. Sua família precisava fazer algumas horas de serviço na igreja, então ela se ofereceu para trabalhar na loja de lembrancinhas. Em vez disso, a igreja designou-a para a sala 423, catecismo do quinto ano. Então, agora, às quartas, das 18h30 às 19h30, ela ensina às crianças sobre Deus.

Ela pede para que nós nos sentemos no carpete em frente à sua cadeira, porque vai contar como Deus fez as pessoas. Eu corro para pegar um lugar bem na frente. Estou muito curiosa sobre como e por que eu fui feita. Percebo que nossa professora não está com a Bíblia nem nenhum outro livro no colo. Ela vai falar de memória. Fico impressionada.

Ela começa:

— Deus fez Adão e o colocou em um lindo jardim. Adão era a criação preferida de Deus, então Ele disse a Adão que seus únicos trabalhos eram ser feliz, cuidar do jardim e nomear os animais. A vida de Adão era quase perfeita. Só que ele ficou solitário e estressado. Queria companhia e ajuda para dar nome aos animais. Então ele disse a Deus que queria uma companheira e ajudante. Uma noite, Deus ajudou Adão a dar à luz Eva. De dentro do corpo de Adão, uma mulher nasceu, do ventre do homem.

Estou tão surpresa que até me esqueço de erguer a mão.

— Espera. Adão deu à luz *Eva*? Mas as pessoas não vêm do corpo das mulheres? Não são os meninos que vêm do ventre das mulheres?

Minha professora diz:

— Levante a mão, Glennon.

Eu ergo a mão. Ela acena para que eu a abaixe. O menino sentado à minha esquerda revira os olhos para mim.

Nossa professora continua:

— Adão e Eva eram felizes, e tudo foi perfeito por um tempo, mas então Eva viu uma maçã reluzente pendurada em uma árvore. Embora Deus tivesse falado para ela que aquela era a única coisa no jardim inteiro que ela não podia querer, Eva queria aquela maçã mesmo assim. Então, um dia, ela ficou com fome, pegou a maçã da árvore e deu uma mordida. Depois enganou Adão e o fez comer também. Assim que Adão mordeu a maçã, os dois sentiram vergonha pela primeira vez e tentaram se esconder de Deus. Mas Deus tudo vê, então Deus sabia. Deus baniu Adão e Eva do lindo jardim. Então Ele amaldiçoou os dois, assim como seus futuros filhos, e, pela primeira vez, houve sofrimento na Terra. É por isso que ainda sofremos hoje, porque o pecado original de Eva está em todos nós. O pecado é querer saber mais do que deveríamos querer, querer mais em vez de sermos gratas pelo que temos, e fazermos o que quisermos, em vez do que deveríamos.

Algumas considerações sérias haviam sido feitas. Eu não tinha mais perguntas.

Oral

Meu marido e eu começamos a frequentar uma terapeuta depois que ele admitiu que estava dormindo com outras mulheres. Agora guardamos os problemas que acontecem durante a semana para contar a ela nas terças à noite. Quando meus amigos perguntam se ela é boa, eu respondo: "Bom, acho que sim. Quer dizer, ainda estamos casados."

Hoje pedi para vê-la a sós. Estou cansada e trêmula porque passei a noite toda ensaiando em silêncio um jeito de dizer o que estou prestes a contar.

Fico sentada em silêncio na poltrona, as mãos sobre o colo. Ela está sentada com as costas bem eretas na poltrona à minha frente. Está de terninho branco muito bem passado, saltos baixos, cara limpa, sem maquiagem. Uma estante de madeira cheia de livros teóricos e diplomas emoldurados cobre a parede atrás dela como vinhas. Sua caneta está preparada acima do bloco de capa de couro no seu colo, pronta para me resumir em preto no branco. Eu lembro a mim mesma: fale com calma e confiança, Glennon, como uma adulta.

— Tenho uma coisa importante a dizer. Eu me apaixonei. Perdidamente. O nome dela é Abby.

O queixo da minha terapeuta cai, só o suficiente para que eu perceba. Ela fica em silêncio por um momento que parece eterno. Então respira fundo e diz:

— Certo.

Ela para, recomeça:

— Glennon, você sabe que, seja o que for isso... não é real. Esses sentimentos não são *reais*. Seja qual for o futuro que você está imaginando aqui: isso também não é real. Isso não passa de uma distração perigosa. Não vai terminar bem. Você precisa parar.

Começo a tentar dizer: "Você não está entendendo. Isso é diferente." Mas então penso em todas as pessoas que se sentaram nesta mesma poltrona e insistiram: *Isso é diferente.*

Se ela não vai me deixar ter Abby, preciso convencê-la, ao menos, a nunca mais precisar ter meu marido.

— Eu não consigo mais dormir com ele — digo. — Você sabe o quanto me esforcei. Às vezes acho que o perdoei, mas aí ele sobe em cima de mim e o ódio volta todo outra vez. Faz anos, e não quero ser chata, então fecho os olhos e tento flutuar para fora do meu corpo até que acabe. Mas aí sem querer acabo voltando e esse retorno é para um ódio cegante e ardente. É tipo: eu tento morrer por dentro, mas sempre tem um pouquinho de vida dentro de mim, e essa vida torna o sexo insuportável. Não consigo estar viva durante esse momento, mas também não consigo morrer, então não tem solução. Eu só... só não quero mais fazer isso.

Fico furiosa por sentir as lágrimas chegando, mas é o que acontece. Estou implorando agora. Piedade, por favor.

Duas mulheres. Um terninho branco. Seis diplomas emoldurados. Um caderno aberto. Uma caneta a postos.

Então:

— Você já tentou só fazer sexo oral nele? Muitas mulheres sentem que o oral é menos íntimo.

Sugestões

Eu tenho um filho e duas filhas, até que eles me digam algo diferente disso.

Meus filhos acreditam que o chuveiro é um portal mágico das ideias.

Minha filha mais nova recentemente disse para mim:

— Mãe, é tipo como se eu não tivesse nenhuma ideia o dia todo, mas aí eu entro no chuveiro e meu cérebro fica cheio de coisas maneiras. Acho que é a água, sei lá.

— Pode ser a água — falei. — Ou pode ser que o chuveiro seja o único lugar em que você não está plugada, aí consegue ouvir seus próprios pensamentos.

Ela me olhou e questionou:

— Quê?

— O que acontece com você no chuveiro, querida. Se chama *pensar*. É uma coisa que as pessoas faziam antes do Google. Pensar é tipo… dar um Google no próprio cérebro.

— Ah — disse ela. — Legal.

Essa mesma criança rouba meu xampu caro uma vez por semana, então outro dia eu fui batendo o pé até o banheiro que ela divide com os irmãos para roubar o xampu de volta. Abri a cortina do chuveiro e percebi doze embalagens vazias na beirada da banheira. Todos os potes do lado direito eram vermelhos, brancos e azuis. Todos os potes do lado esquerdo eram rosa e roxos.

Eu peguei um pote vermelho do que claramente era o lado do meu filho adolescente. Era um pote alto, retangular, pesadão. Gritava comigo em letras negritadas em vermelho, branco e azul:

3X MAIOR

NÃO ROUBA A SUA DIGNIDADE

ARME-SE COM UM AROMA MASCULINO

DÊ UMA RASTEIRA NO FEDOR, DEPOIS DÊ UMA CADEIRADA NELE.

Pensei: *Mas que merda? Meu filho está tomando banho ou se preparando para a guerra?* Peguei uma das embalagens das meninas: estreita, metálica, cor-de-rosa. Em vez de cuspir ordens para mim, aquele pote, em fonte cursiva e delicada, sussurrava adjetivos desconexos: *atraente, radiante, gentil, puro, iluminador, sensual, macio, leve, cremoso.*

Nenhum verbo à vista. Nada para fazer aqui, só uma lista de coisas a se ser.

Olhei em volta para me certificar de que o chuveiro não era, de verdade, um portal mágico que de alguma forma me levara de volta ao passado. Não. Lá estava eu, no século XXI, em que meninos ainda aprendem que homens de verdade são grandes, intensos, violentos, invulneráveis, enojados pela feminilidade, responsáveis por conquistar as mulheres e o mundo. Em que meninas ainda aprendem que mulheres de verdade devem ser quietas, bonitas, pequenas, passivas e desejáveis, para que valham a conquista. Cá estamos nós. Nossos filhos e nossas filhas ainda estão sendo forçados a abrir mão de sua humanidade completa antes mesmo de se vestirem de manhã.

Nossas crianças são vastas demais para caberem nesses frascos rígidos, produzidos em massa. O problema é que vão se perder tentando caber.

Ursos-polares

Muitos anos atrás, a professora da minha filha Tish me ligou e disse que tinha acontecido uma "situação" na escola. Durante uma aula sobre animais selvagens, a professora mencionara para a turma que os ursos-polares estavam perdendo suas casas e suas fontes de alimento por causa do derretimento das calotas polares. Ela mostrou aos alunos uma foto de um urso-polar moribundo como exemplo dos muitos efeitos do aquecimento global.

Os outros alunos do jardim de infância acharam aquilo muito triste, mas não triste o suficiente para impedi-los de, você sabe, brincar no recreio. Não Tish. A professora me explicou que, quando a aula acabou e as outras crianças pularam dos seus tapetinhos para correr lá fora, Tish tinha continuado sentada, sozinha, a boca aberta, paralisada, seu rostinho chocado questionando:

"O QUÊ? Você acabou de dizer que os ursos-polares estão *morrendo*? Porque a *Terra está derretendo*? A mesma Terra em que a gente vive? Você acabou de largar essa informação aterrorizante *NA NOSSA CABEÇA NO MEIO DA HORA DA HISTÓRIA*?"

Tish, por fim, saiu para o recreio, mas não conseguiu participar da brincadeira naquele dia. As outras crianças tentavam tirá-la do banco para brincar de amarelinha com elas, mas Tish permaneceu ao lado da professora, de olhos arregalados, perguntando:

— Os adultos sabem disso? O que eles vão fazer? Tem outros animais em perigo também? Cadê a mãe daquele urso-polar com fome?

Durante todo o mês seguinte, nossa vida familiar girou em torno dos ursos-polares. Nós compramos pôsteres de ursos-polares e cobrimos as paredes do quarto de Tish com eles.

— Para lembrar, mamãe, eu tenho que lembrar.

Nós fizemos doações para quatro ursos-polares pela internet. Falamos de ursos-polares no jantar, no café da manhã, durante as idas e vindas da escola, durante festas. Discutimos ursos-polares tão incessantemente, na verdade, que depois de algumas semanas eu simplesmente não aguentava mais. Comecei a odiar ursos-polares com cada fibra do meu ser. Comecei a amaldiçoar o dia em que os ursos-polares nasceram. Tentei de tudo em que consegui pensar para tirar Tish do abismo dos ursos-polares. Eu a abracei, eu gritei com ela, então finalmente resolvi mentir.

Pedi para uma amiga me mandar um e-mail "oficial" fingindo ser a "Presidente da Antártida", anunciando que, de uma vez por todas, as calotas polares estavam consertadas e todos os ursos-polares de repente estavam ótimos. Abri aquele e-mail fraudulento e chamei Tish do quarto:

— Ah, meu Deus, querida! Vem cá! Olha só o que eu recebi! Ótimas notícias!

Tish leu o e-mail em silêncio, depois se virou devagar para me olhar com uma expressão de total desprezo. Ela sabia que o e-mail era falso. Ela é sensível, mas não idiota. A saga dos ursos-polares continuou com força total.

Uma noite coloquei Tish para dormir e estava saindo do quarto pé ante pé com a alegria de uma mãe prestes a entrar na terra prometida (todo mundo foi dormir e eu tenho meu sofá, meus carboidratos e a Netflix só para mim, ninguém pode encostar em mim ou falar comigo até o sol nascer, aleluia!). Estava fechando a porta quando Tish sussurrou:

— Espera. Mãe?

Droga.

— O que foi, querida?

— Os ursos-polares.

AH. PUTA MERDA.

Voltei até a cama e olhei para ela de cima, um pouco enlouquecida. Tish ergueu os olhos para mim e disse:

— Mamãe, eu não consigo parar de pensar: agora são os ursos-polares. Mas ninguém liga. Então, depois, vai ser a gente.

Então ela se virou, pegou no sono e me deixou sozinha no quarto escuro, paralisada e em choque. Fiquei de pé acima dela, olhos arregalados, os braços circundando meu corpo.

"AI. MEU. DEUS. OS URSOS-POLAAAAAAAAAAAARES!! TEMOS QUE SALVAR A PORCARIA DOS URSOS-POLARES! DEPOIS VAI SER A GENTE. QUAL É O NOSSO *PROBLEMA*??"

Então olhei para a minha bebê e pensei: *Ah, você não é doida por estar de coração partido pelos ursos-polares; nós é que somos loucos por não estarmos.*

Tish não conseguiu ir para o recreio porque estava prestando atenção ao que a professora falou. Assim que ouviu a notícia sobre os ursos-polares, ela se permitiu sentir o horror e soube como aquilo era errado, imaginando o resultado inevitável. Tish é sensível, e esse é seu superpoder. O oposto de sensibilidade não é coragem. Não é coragem se recusar a prestar atenção, se recusar a ver, se recusar a sentir e saber e imaginar. O oposto de sensibilidade é a insensibilidade, e ser insensível não é nenhum motivo de orgulho.

Tish sente. Mesmo quando o mundo tenta acelerar ao seu redor, ela para e absorve tudo. *Para, espera. Aquilo que você falou sobre os ursos-polares... me fez sentir alguma coisa, questionar algumas coisas. Podemos ficar aqui um momento? Eu tenho sentimentos. Eu tenho perguntas. Ainda não estou pronta para correr para o recreio.*

Em muitas culturas, pessoas como Tish são identificadas desde cedo, criadas como xamãs, curandeiros, poetas, clérigos. São consideradas excêntricas mas essenciais para a sobrevivência do grupo porque são capazes de ouvir coisas que os outros não ouvem, ver coisas que os outros não veem e sentir coisas que os outros não sentem. A cultura depende da sensibilidade de alguns, porque aqueles que sentem a dor do mundo são os que mais provavelmente vão ajudar a curá-lo.

Mas a nossa sociedade é tão dedicada à expansão, ao poder e à eficiência que pessoas como Tish — como eu — são inconvenientes. Nós atrasamos o mundo. Estamos na proa do *Titanic*, apontando e gritando: "Iceberg!", enquanto todo o restante está se escondendo sob o deque, gritando de volta: "A gente só quer continuar dançando!" É mais fácil dizer que somos problemáticas do que considerar que estamos respondendo de forma apropriada a um mundo problemático.

Minha menininha não é problemática. Ela é uma profeta. Quero ser sábia o suficiente para desacelerar com ela, perguntar a ela o que está sentindo, e ouvir o que ela sabe.

Marcas

É meu último ano de ensino médio, e eu ainda não fui indicada para a Corte do Baile.

A Corte do Baile é constituída pelos dez alunos mais populares de cada ano. Esses dez alunos vão colocar roupas chiques e andar de conversível no desfile do baile, vão colocar roupas chiques e dar a volta no campo durante o intervalo do jogo, vão colocar roupas chiques e atravessar os corredores com suas faixas de Corte do Baile. A semana do baile é como a Semana de Moda do ensino médio, e o restante de nós vai ficar só olhando das sombras enquanto os membros da Corte do Baile desfilam nas passarelas.

Os professores passam as cédulas durante a aula de inglês e nos instruem a votar nos alunos que devem ascender à corte. Todos os anos votamos em massa nos mesmos dez Alunos de Ouro. Todos nós sabemos quem eles são. Parece que nascemos sabendo quem eles são. Os Alunos de Ouro ficam juntos em um círculo próximo — como o sol — nos corredores, nos jogos de futebol, no shopping, em nossas mentes. Não devemos olhar diretamente para eles, o que é difícil porque eles têm cabelos brilhantes e corpos atraentes, brilhosos e radiantes, tudo que nós deveríamos ser. Nenhum deles faz bullying. Bullying requer prestar atenção demais e fazer esforço demais. Eles estão acima e além disso. Seu trabalho é ignorar o resto de nós, e nosso trabalho é nos julgar de acordo com os padrões que eles determinam. Nossa existência os torna Alunos de Ouro, e a existência deles nos torna miseráveis. Ainda assim nós votamos neles ano após ano, porque as regras nos controlam mesmo na privacidade de nossas carteiras. *Vote nos Dourados. Eles seguiram as ordens perfeitamente, são o que todos nós deveríamos ser, então devem ganhar. É justo.*

Eu não sou Dourada, mas a luz dos Alunos de Ouro reflete em mim com frequência suficiente para que eu seja iluminada. Eles me convidam para festas de vez em quando, e eu vou, mas quando chego lá não dão muita bola pra mim. Imagino que me convidem porque precisam de alguém "não dourado" para sentir seu brilho. O brilho requer *contraste.* Então quando eles ficam em círculos nos jogos de futebol, me deixam ficar no círculo com eles, mas também não falam comigo lá. Eu me sinto incrivelmente desconfortável, excluída e ridícula nesses círculos. Eu lembro a mim mesma que o que está realmente acontecendo no círculo não importa, o que importa é o que as pessoas fora do círculo acham que está acontecendo lá. O que importa não é o que é real, mas o que consigo convencer os *outros* de que é real. O que importa não é como me sinto por dentro, mas como aparento ser por fora. Como eu *aparento sentir* é que vai determinar como os outros se sentem sobre mim. O que importa é como os outros se sentem sobre mim. Então eu ajo como alguém que se sente uma Aluna de Ouro.

Em meados de setembro, o burburinho dos preparativos para o baile chegou a um pico febril. Já demos nossos votos, e os vencedores serão anunciados depois do sexto tempo. Estou na aula de governança estudantil, e é nosso trabalho contar os votos. Minha amiga Lisa está tirando as cédulas uma de cada vez de uma caixa e lendo os nomes em voz alta enquanto eu conto os votos. Ela diz os mesmos nomes repetidas vezes: Tina. Kelly. Jessa. Tina. Kelly Jessa Susan. Jessa. Susan Tina Tina Tina. Então, Glennon. Depois de mais algumas… Glennon. Glennon. Lisa olha para mim, ergue as sobrancelhas e sorri. Eu reviro os olhos e desvio o olhar, mas meu coração está disparado. *Puta merda. Eles acham que eu sou uma Aluna de Ouro.* Vejo que a caixa de cédulas está quase vazia, mas a votação está apertada e eu conseguiria. Eu conseguiria. Só preciso de mais dois votos. Olho para Lisa, e seus olhos estão distraídos. Com o lápis eu faço mais duas marcas. *Check*. *Check*. Lisa e eu contamos os votos. Fui indicada para a Corte do Baile.

Agora sou a garota que, mesmo aos 44 anos, pode revirar os olhos e mencionar, como se não fosse nada, bem, eu estava na Corte do Baile. Outros vão revirar os olhos também (o ensino médio!), mas eles também vão registrar: Ah. Você era uma Aluna de Ouro. Se tornar um Aluno de Ouro acontece cedo, e de alguma forma permanece, mesmo quando somos crescidos e mais espertos, muito mais espertos. Uma vez de Ouro, sempre de Ouro.

P or mais de uma década escrevi e falei abertamente sobre vícios, sexo, infidelidade, depressão. A falta de vergonha é minha prática espiritual. Mesmo assim, eu nunca tinha admitido minha fraude eleitoral no colégio para ninguém além da minha esposa. Quando contei a ela que finalmente havia escrito esta história, ela fez uma careta e perguntou:

— Tem certeza, querida? Tem certeza de que você deveria contar isso?

Acho que o que torna essa história imperdoável é o desespero. É o se importar demais. Se você não pode ser de Ouro, então deve fingir que não quer ser. É tão não legal, tão terrivelmente não legal, querer pertencer a um grupo com tal força que você está disposto a mentir por isso. Mas foi o que eu fiz.

Eu fraudei uma eleição tentando ser de Ouro. Passei dezesseis anos com a cabeça enfiada no vaso tentando ser magra. Bebi até ficar entorpecida por uma década tentando ser agradável. Ri e dormi com homens péssimos tentando ser desejável. Mordi a língua até sentir o gosto de sangue tentando ser gentil. Gastei milhares em poções e venenos tentando ser jovem. Eu me neguei a mim mesma por décadas tentando ser pura.

Algoritmos

Alguns meses depois que descobri que meu marido foi infiel repetidas vezes, ainda não sabia se deveria ficar ou partir. Não sabia nem se as novas almofadas do meu sofá deveriam ficar ou partir. Era uma mulher absurdamente indecisa. Quando contei à pedagoga da escola das crianças como me sentia, ela disse:

— Não são as decisões difíceis que estragam as crianças, é a indecisão. Seus filhos precisam saber o que vai acontecer.

Eu respondi:

— Bom, eles não podem saber até eu saber.

Ela disse:

— Você precisa descobrir *como saber.*

Na época, a única forma que eu sabia de *como saber* era pesquisa e votação. Comecei a juntar os votos. Liguei para todos os meus amigos, torcendo para que eles soubessem o que eu deveria fazer. A seguir comecei a pesquisar. Li cada artigo que encontrei sobre infidelidade, divórcio, filhos, torcendo para que os especialistas soubessem o que eu deveria fazer. Os resultados dos votos e da pesquisa foram irritantemente inconclusivos.

Por fim, me voltei para a World Wide Web para ver se um conglomerado invisível de estranhos, *trolls* e *bots* sabiam o que eu deveria fazer com a minha única, preciosa e selvagem vida. Foi assim que me encontrei na cama às três da manhã, enfiando colheradas de sorvete na boca, digitando na barra de pesquisa do Google:

O que devo fazer se meu marido me traiu mas é um ótimo pai?

Reuniões

Meu filho Chase, de dezessete anos, e os amigos dele estão na sala vendo um filme. Estou tentando deixá-los em paz, mas é difícil para mim. Compreendo que a maioria dos adolescentes acha que as mães são chatas, mas tenho certeza de que sou a exceção.

Fico parada à porta e dou uma olhada na sala. Os meninos estão largados no sofá, e as meninas estão sentadas da forma mais arrumada e controlada possível no chão. Minhas filhas mais novas estão aos pés das garotas mais velhas, adorando-as em silêncio.

Meu filho olha para mim e dá um meio sorriso.

— Oi, mãe.

Preciso de uma desculpa para estar aqui, então pergunto:

— Alguém está com fome?

O que acontece a seguir se desenrola em câmera lenta.

Cada um dos meninos, mesmo com os olhos na TV, e responde:

— SIM!

As meninas ficam em silêncio a princípio. Então cada menina desvia os olhos da TV e avalia o rosto das outras meninas. Elas olham para o *rosto de uma amiga* para descobrir se *está, ela mesma, com fome*. Algum tipo de telepatia está se passando entre elas. Estão fazendo uma votação. Estão chegando a um consenso, pedindo permissão, ou fazendo recusas.

De alguma forma o coletivo silenciosamente nomeou como porta-voz uma menina de cabelo trançado e sardas no nariz.

Ela desvia os olhos do rosto das amigas e me encara. Sorri educadamente e responde:

— Não precisa, obrigada.

Os meninos fizeram uma avaliação interna. As meninas fizeram uma avaliação externa.

Nós esquecemos como saber quando aprendemos a agradar.

É por isso que vivemos com fome.

Regras

Minha amiga Ashley fez sua primeira aula de hot yoga semana passada. Ela entrou na sala, desenrolou o tapetinho, se sentou e esperou alguma coisa acontecer.

— Estava excepcionalmente quente lá — disse ela.

Quando a professora — jovem e confiante — finalmente entrou na sala, Ashley já estava pingando de suor. A professora anunciou:

— Vamos começar logo. Vocês vão ficar com muito calor, mas não saiam da sala. Não importa como se sintam, permaneçam fortes. Não fujam. Esse é o trabalho.

A aula começou e, em alguns minutos, as paredes começaram a se fechar em volta de Ashley. Ela estava tonta e enjoada. Cada respiração parecia mais difícil que a anterior. Duas vezes sua visão ficou pontilhada, então escureceu. Ela olhou para a porta e quis desesperadamente correr para fora. Passou noventa minutos apavorada, quase hiperventilando, segurando as lágrimas, mas não saiu da sala.

No momento em que a professora terminou a aula e abriu a porta, Ashley levantou do tapete num pulo e voou para o corredor. Manteve a mão sobre a boca até encontrar o banheiro. Abriu a porta com força e vomitou na pia, na parede, no chão.

Enquanto estava de joelhos, limpando o próprio vômito com toalhas de papel, ela pensou: *Qual é o meu problema? A porta nem estava trancada.*

Dragões

Quando eu era pequena, minha madrinha me deu um globo de neve de aniversário. Era pequeno e redondo, tipo uma bola de cristal do tamanho da palma da minha mão. No centro havia um dragão vermelho com escamas cheias de glitter, olhos verdes brilhantes e asas de fogo. Quando levei o globo para casa pela primeira vez, coloquei-o na minha mesa de cabeceira. Então ficava acordada de noite, de olhos arregalados, com medo do dragão existindo tão perto de mim no escuro. Certa noite, eu saí da cama e coloquei o globo de neve na prateleira mais alta do quarto.

De vez em quando, só durante o dia, eu puxava a cadeira da minha escrivaninha, subia nela e tirava o globo de neve da prateleira. Eu o balançava, parava, e observava os flocos de neve girando. Quando eles começavam a se assentar, o dragão vermelho no centro do globo emergia, e eu sempre sentia um arrepio. Aquele dragão era mágico e assustador, sempre ali, imóvel, só esperando.

Minha amiga Meg está sóbria há cinco anos agora, depois de uma década de abuso de bebida e drogas. Ultimamente, está tentando descobrir o que aconteceu com ela — como o vício tomou conta da vida de uma mulher tão forte.

No dia do seu casamento, Megan se sentou nos fundos da capela sabendo que não queria se casar com o homem esperando por ela no altar. Em seu âmago, ela sabia disso.

Ela se casou com ele mesmo assim, porque estava com 35 anos e casar era o que deveria fazer. Ela casou com ele mesmo assim, porque havia tantas pessoas que ficariam decepcionadas se ela cancelasse o casamento. Só havia uma Megan, então ela decepcionou a si mesma. Ela disse "Sim" enquanto suas entranhas diziam "Não", e passou a próxima década tentando não saber o que sabia: que tinha traído a si mesma e que sua vida não começaria de verdade até que parasse de se trair. A única forma de não saber disso era ficar bêbada e nunca mais parar de beber, então ela começou a virar todas na sua lua de mel. Quanto mais bêbada ficava, maior era a distância do dragão dentro de si. Depois de um tempo, o álcool e as drogas se tornaram o problema, o que era conveniente, porque aí ela não precisava mais lidar com o problema real.

Somos como globos de neve: gastamos todo o nosso tempo, energia, palavras e dinheiro para criar uma confusão, tentando evitar o Saber, assim a neve não baixa e nunca somos obrigadas a enfrentar a verdade que arde dentro de nós, sólida e imutável.

O relacionamento acabou. O vinho está ganhando. Os remédios não são mais para dor nas costas. Ele nunca vai voltar. Aquele livro não vai se escrever sozinho. Se mudar é o único jeito. Largar este emprego vai salvar minha vida. É abuso. Você nunca se permitiu chorar por ele. Faz seis meses desde que fizemos amor pela última vez. Passar uma vida odiando-a não é viver.

Mantemos essa confusão em nossa vida porque temos um dragão dentro de nós.

Certa noite, quando meus filhos ainda eram bebês, eu estava lendo um livro de poesia na banheira quando me deparei com um poema chamado "Uma vida secreta", sobre como todos nós temos segredos profundos. Eu pensei: *Bem, eu nao tenho um segredo desde que fiquei sóbria. Não escondo mais nada.* A sensação foi boa. Então eu li:

Isso se torna o que você mais protegeria
Se o governo dissesse que você poderia proteger
Uma coisa, tudo o mais é nosso...
É o que irradia e pode machucar
Se você se aproximar demais.

Então parei de ler e pensei: *Ah, espera.*
Tem uma coisa.
Uma que não contei nem para a minha irmã.
O segredo que irradia em mim é que acho mulheres infinitamente mais atraentes e interessantes do que homens. Meu segredo é a suspeita de que fui feita para fazer amor com uma mulher e dormir com uma mulher e cuidar de uma mulher e viver e morrer ao lado de uma mulher.

Então eu pensei: *Que estranho. Isso não pode ser real. Você tem um marido e três filhos. Sua vida é mais do que boa o suficiente.*

Enquanto eu saía da banheira e secava o cabelo, falei para mim mesma: *Talvez em outra vida.*

Não é interessante?
Como se eu tivesse mais de uma.

Braços

Estou sentada em uma cadeira de plástico fria perto do portão de embarque, encarando minha mala, dando golinhos em um café de aeroporto. Amargo e fraco. Observo o avião pela janela. Quantos mais desses vou pegar no ano que se segue? Uma centena? Estou amarga e fraca também.

Se eu embarcar, este avião vai me levar para ao O'Hare, em Chicago, onde vou procurar por um motorista segurando uma placa com o meu sobrenome (ou melhor, o sobrenome do meu marido). Vou erguer a mão e ver o rosto do motorista registrar a surpresa por eu ser uma mulher pequena em calças de moletom em vez de um homem alto de terno. O motorista vai me levar para o Palmer Hotel, onde uma conferência literária nacional está acontecendo. Lá, vou subir em um palco em um salão de baile e falar para algumas centenas de bibliotecários sobre meu livro de memórias que será lançado em breve, *Somos guerreiras*.

Somos guerreiras — a história da dramática destruição e difícil reconstrução da minha família — talvez seja um dos maiores livros do ano. Vou promovê-lo em palcos e na mídia por, tipo, mil anos.

Estou tentando descobrir meus sentimentos sobre isso. Medo? Animação? Vergonha? Não consigo isolar nada específico. Encaro o avião, me perguntando como explicar a experiência mais íntima e complicada da minha vida para um mar de estranhos dentro dos sete minutos que me foram alocados. Escrevi um livro, e agora preciso me tornar um comercial do livro que escrevi. Qual o objetivo de ser escritora se tenho que falar palavras sobre as palavras que já escrevi? Pintores têm que desenhar sobre seus desenhos?

Já estive nesta fila de aeroporto antes. Três anos antes, tinha lançado meu primeiro livro e viajado pelo país contando a história de como finalmente encontrei meu felizes-para-sempre trocando meus vícios vitalícios em comida e álcool por um filho, um marido e pela escrita. Subi em palcos do país inteiro e repeti a mensagem do livro para mulheres esperançosas: *Siga em frente. A vida é difícil, mas você é uma guerreira. Um dia tudo vai dar certo para você também.*

Logo depois que a tinta daquele primeiro livro secou, eu me sentei no consultório do terapeuta e ouvi meu marido contar que estava transando por aí desde o dia em que nos casamos.

Prendi a respiração quando ele disse: "Eu dormi com outras mulheres", e quando inspirei novamente, o ar tinha cheiro de sais. Ele não parava de se desculpar, de olhar para as próprias mãos, e sua fala gaguejada e impotente me fez rir alto. Minha risada fez os dois homens — meu marido e o terapeuta — ficarem desconfortáveis. O desconforto deles me fez sentir poderosa. Olhei para a porta e ordenei que a adrenalina me carregasse para fora do prédio, atravessasse o estacionamento e entrasse na minha minivan.

Fiquei sentada no banco do motorista por um tempo e percebi que a revelação da traição do meu marido não me deixou sentindo o desespero de uma esposa magoada. Estava sentindo a raiva de um escritor com um enredo destruído. Não há fúria igual à da escritora de memórias cujo marido acabou de fazer merda com a história dela.

Eu estava com ódio dele e com nojo de mim mesma. Tinha baixado a guarda e confiado que os outros personagens da minha história se comportariam como deveriam e que meu enredo se desdobraria de acordo com os meus planos. Tinha deixado meu próprio futuro e meus filhos vulneráveis ao ceder o controle criativo para outro personagem. Que idiota. Nunca mais. Eu retomaria o controle total a partir de agora. Essa era a minha história e a minha família, e eu decidiria o fim. Eu pegaria essa merda que me entregaram e a transformaria em ouro.

Recuperei o controle com palavras, frases, capítulos e roteiros. Comecei com a resolução da história em mente — uma família curada e unida — e tracei meus passos de trás para a frente. Haveria raiva, dor, terapia, autoconhecimento, perdão, uma confiança relutante e, por fim: uma intimidade revigorada e redenção. Não sei se vivi aqueles anos seguintes e depois escrevi sobre eles ou se escrevi sobre os anos seguintes e então fiz tudo acontecer. Não fazia diferença. O que importava era que no fim daquele tempo nebuloso eu havia criado para mim uma história de amor sombria — um drama de traição e perdão, dor e redenção, destruição e cura. Em forma de livro e de família. Xeque-mate, vida.

No livro *Truth & Beauty*, de Ann Patchett, um leitor aborda Lucy na mesa de autógrafos e pergunta sobre seu livro de memórias:

— Como você se lembra de tudo isso?

— Eu não lembro — responde ela. — Eu *escrevo*.

Quando terminei *Somos guerreiras*, entreguei o manuscrito para Craig e falei:

— Aqui. Aqui está o que tudo isso significou. Eu fiz tudo isso significar alguma coisa. Nós ganhamos a guerra. Nossa família conseguiu. Somos uma história de amor no fim das contas. De nada.

A guerra tinha terminado e eu queria ir para casa. Mas casa ainda é uma trincheira onde eu e Craig nos encaramos e perguntamos: *E agora? O que nós ganhamos?*

Ligo para a minha irmã e pergunto se posso cancelar o evento do lançamento do livro em Chicago. Quero que ela me diga que vai ficar tudo bem, que não é nada demais. Ela diz:

— Podemos cancelar, mas vai ser complicado. Você se comprometeu.

Então faço essa coisa que eu faço. Do lado de fora imagino que pareça uma mudança de postura, mais ereta, mais firme. Por dentro parece que estou solidificando meu eu líquido. De água para gelo. *Glennon saiu do prédio.* Eu consigo. Entro no avião para contar uma história em que não tenho certeza de que acredito.

Vai ficar tudo bem. Só vou contar como se fosse uma história em vez de uma vida. Vou contar a verdade, mas vou contar com um *twist*: vou culpar a mim mesma, só o suficiente; apresentar meu marido na luz mais favorável possível; ligar minha bulimia à minha frigidez e a minha frigidez à infidelidade dele. Vou contar como as traições me fizeram refletir sobre mim mesma, como essa reflexão levou ao perdão, e a dor levou à redenção. Vou contar isso de forma que as pessoas concluam: *É claro. Tudo estava indicando que isso aconteceria. É óbvio. Tinha que ser exatamente assim.* E é o que eu vou concluir também.

O arco moral da nossa vida se inclina em direção ao sentido — especialmente se nós o inclinarmos nessa direção com toda a nossa força.

Chego a Chicago e encontro a assessora de imprensa no hotel Palmer House, onde o evento está acontecendo. Esse fim de semana é o Super Bowl literário, e ela está empolgada. Estamos a caminho de um jantar em que dez autores vão se conhecer melhor antes de entrar no salão de conferências e vender nossos livros no palco. Este jantar, que eu soube da existência apenas algumas horas antes, só aumentou meu nível de terror introvertido de amarelo para vermelho.

A sala de jantar que vai nos receber é pequena, com duas longas mesas unidas para formar um quadrado. Em vez de sentadas, as pessoas estão circulando. Circular com pessoas que não conheço é a minha ideia do inferno na Terra. Eu não circulo. Vou até a mesa de bebidas e me sirvo de um copo de água gelada. Uma escritora famosa se aproxima e se apresenta. Ela pergunta:

— Você é a Glennon? Eu estava querendo falar com você. Você é a cristã, certo?

Sim, eu mesma.

— Meu livro novo é sobre uma mulher que tem uma experiência religiosa e se torna cristã. Dá pra acreditar? Cristã! É tão real para ela! Não sei como meus leitores vão reagir: será que as pessoas vão conseguir levá-la a sério? O que você acha? Você acha que as pessoas levam você a sério?

Eu digo a coisa mais séria em que consigo pensar e peço licença.

Dou uma olhada na mesa. Sem lugares marcados, porcaria. George Saunders está sentado em silêncio em um canto. Parece incrivelmente gentil e delicado e eu gostaria de sentar ao lado dele, mas ele é homem e eu não sei como conversar com homens. Na cabeceira da mesa há uma mulher com uma energia muito tranquila, por isso me sento ao lado dela. Ela tem vinte e poucos anos e está lançando seu primeiro livro infantil, e eu faço uma pergunta atrás da outra enquanto penso como seria incrível se os organizadores simplesmente colocassem nossos livros na mesa para que a gente possa se conhecer melhor lendo, em silêncio. Passamos manteiga no pão. Saladas são servidas. Quando vou pegar o molho, a moça do livro infantil olha para a porta. Eu faço o mesmo.

De repente, uma mulher está de pé onde não havia nada antes. Ela ocupa todo o vão da porta, toda a sala, todo o universo. Tem cabelo curto, platinado no topo, raspado nas laterais. Está usando um sobretudo longo, uma echarpe vermelha, um meio sorriso convidativo, uma confiança inabalável. Ela fica parada ali por um momento, avaliando a sala. Em meio segundo, eu olho para ela e avalio minha vida inteira.

Todo o meu ser olha para ela e diz:

Aí está ela.

Então, perco o controle do meu corpo. Eu fico de pé e abro os braços.

Ela olha para mim, inclina a cabeça para o lado, ergue a sobrancelha e sorri.

Merda merda merda por que eu me levantei? Por que abri os braços? Ah, meu Deus, O Que Eu Estou Fazendo?

Eu me sento de novo.

Ela dá a volta na mesa, apertando a mão de todo mundo. Quando chega até mim, fico de pé de novo, me viro, a encaro.

— Meu nome é Abby — diz ela.

Eu pergunto se posso abraçá-la, porque e se essa for minha única chance? Ela sorri e abre os braços. Então sinto o cheiro que vai se tornar meu lar: pele suave de talco e amaciante de roupas misturada à lã do casaco e seu perfume e algo com cheiro de ar livre como um céu bem azul, um cheiro de bebê e de mulher e de homem e de mundo inteiro.

O único lugar vago é no fim da mesa. Ela se afasta de mim e vai para o seu lugar. Mais tarde ela vai me contar que não comeu nem falou nada porque toda a sua energia estava concentrada em não me encarar. A minha também.

O jantar termina e as pessoas voltam a circular. Ah, meu Deus, mais conversinhas, e agora com uma revolução na sala. Peço licença para ir ao banheiro e mato dois minutos de circulação. Quando saio, ela está parada no corredor, encarando a porta do banheiro, esperando. Ela acena para eu me aproximar. Eu olho para trás para me certificar de que ela está falando comigo. Ela ri. Ela *ri*.

Então é hora de ir até o salão de conferências. De alguma forma, nos separamos do grupo. Tem pessoas a meio metro de nós, à frente e atrás, mas cá estamos, andando sozinhas, juntas. Quero tanto ser interessante. Mas ela é descolada demais e eu mesma não sei como agir assim. Nunca fui descolada na vida, nem um dia sequer. Estou com calor — derretendo —, suando na camiseta.

Ela começa a falar, graças a Deus. Ela me conta sobre o livro que vai lançar. Ela diz:

— Mas as coisas estão difíceis agora. Você deve ter ouvido falar.

— Ouvido o quê? Não ouvi nada. O que era para eu ter ouvido, e onde?

Ela responde:

— No noticiário, talvez? Na ESPN?

— Hum, não, eu não ouvi o noticiário da ESPN — digo.

Ela explica, devagar a princípio, depois tudo de uma vez.

— Eu jogo futebol. *Jogava*. Acabei de me aposentar, e não sei bem o que eu sou agora. Fui pega dirigindo bêbada mês passado. Saiu em tudo quanto é jornal. Eu vi minha foto da prisão estampada na TV por dias. Não acredito que eu fiz isso. Eu só estava muito perdida e deprimida faz alguns anos, e só… fiz merda. Eu sempre falei tanto sobre honra, e aí estraguei todo o meu legado. Decepcionei todo mundo. Dificultei as coisas para o time feminino todo também. E agora eles querem que eu escreva meu livro como se fosse alguma história edificante de um atleta, mas eu só penso: e se eu for honesta? E se eu escrever a verdade sobre a minha vida?

Fico triste por ela, mas animadíssima por mim. Nos quatro minutos em que passamos juntas, ela me perguntou sobre os três assuntos que eu mais conheço: bebida, livros e vergonha. *Essa é a minha parada.* Eu vou arrasar. Puta merda.

Coloco a mão no braço dela. Choques elétricos. Tiro a mão e me recupero o suficiente para dizer:

— Olha. Eu tenho uma ficha criminal do tamanho do seu braço. Eu escreveria tudo. Eu seria honesta. Não sei muito sobre o mundo dos esportes, mas sei que aqui, no mundo real, a gente gosta de gente real.

Ela para de andar, então eu paro também. Abby se vira e me encara. Parece que vai falar alguma coisa. Eu prendo a respiração. Então ela se vira e continua andando. Começo a respirar e a andar também. Entramos no salão de conferências e seguimos os outros autores por um mar de mesas redondas, toalhas de mesa brancas, tetos com pé-direito de dez metros, lustres de cristal. Chegamos ao palco, subimos as escadas e percebemos que nos colocaram sentadas lado a lado. Caminhamos até os nossos lugares e, quando chegamos, ela apoia a mão nas costas da minha cadeira. Não consegue decidir se puxa para mim ou não. Ela puxa a minha cadeira.

— Obrigada — digo.

A gente se senta, e a pessoa sentada ao lado de Abby pergunta de onde ela é.

— A gente mora em Portland — responde Abby.

A escritora responde:

— Ah, eu adoro Portland.

— É.

Algo na forma em que ela diz "É" me faz prestar muita, muita atenção.

— Não sei quanto tempo mais vou ficar na cidade. Nós nos mudamos para lá porque achamos que seria um bom lugar para criar uma família.

Eu sei, pelo jeito com que ela diz isso, que não existe mais *nós*. Quero salvá-la das perguntas subsequentes, então digo:

Ah, pessoas como nós não podem viver em Portland. Nós somos Portland por dentro, mas precisamos de sol por fora.

Imediatamente fico com vergonha do que acabei de dizer. *Portland por dentro?* Mas que merda isso quer dizer? *Pessoas como nós?* Por que eu falei nós? *Nós?* Que terrivelmente presunçoso, sugerir o conceito de nós. Nós. *Nós. Nós. Nós.*

Ela olha para mim, seus olhos se arregalam, e ela sorri. Mudo de ideia. Não sei o que queria dizer, mas fico feliz por ter falado. Decido que o paraíso é dizer qualquer coisa que faça essa mulher sorrir assim.

O evento começa. Quando é minha vez de ir ao pódio e falar, ignoro metade do discurso que tinha planejado e falo sobre vergonha e liberdade, coisas que quero que Abby ouça. Olho para as centenas de pessoas à minha frente e penso somente nela, atrás de mim. Quando termino, volto a me sentar e Abby olha para mim. Seus olhos estão vermelhos.

O jantar termina, e as pessoas começam a se aproximar da nossa mesa. A fila que se forma em frente à Abby tem mais de cinquenta pessoas. Ela vira e me pede para autografar um exemplar do meu livro para ela. Eu peço para ela autografar um cartão para mim. Abby faz isso. Então ela vira para as pessoas e começa a sorrir, autografar, conversar. Está confortável, confiante, à vontade. Está acostumada com isso.

Uma mulher de cabelo cacheado que entrou no salão logo atrás de Abby se aproxima da nossa mesa. Dá para ver que está esperando para falar comigo. Eu sorrio e aceno para que se aproxime. Ela se aproxima, o máximo possível, e sussurra:

— Desculpa, eu nunca fiz nada assim antes. É só que eu conheço muito bem a Abby, ela é tipo uma irmã para mim. Não sei o que aconteceu na última hora, mas eu nunca a vi ficar desse jeito. É só que eu realmente acho que ela precisa de você na vida dela. De alguma forma. Sei que isso é bem bizarro. Desculpa.

A mulher está nervosa, com lágrimas nos olhos. Ela me entrega seu cartão de visitas. Eu entendo que minha resposta será importante para ela.

Eu digo:

— Certo. Sim. Sim, é claro.

Minha amiga Dynna, da editora, está esperando para podermos ir embora juntas. Eu olho para Abby, ainda com mais quarenta fãs esperando pelo seu autógrafo.

Não estou triste por deixá-la. Estou animada para ir embora e poder pensar nela. Estou animada para ir embora porque percebo que nunca na vida eu me senti tão viva, e agora só quero sair no mundo e andar por aí me sentindo viva desse jeito. Só quero começar a ser essa nova pessoa que, de repente, de alguma forma, me tornei.

Digo:

— Tchau, Abby.

Ah, meu Deus, eu falei o nome dela. *Abby*. Eu me pergunto se tem problema ou se eu deveria pedir permissão para usar essa palavra que deixa meu corpo todo formigando. Ela se vira para mim, sorri, acena. Parece *ansiosa*. Seu rosto está fazendo uma pergunta que um dia responderei.

Eu saio do salão com Dynna por um corredor largo. Ela me para e pergunta:

— Como você acha que foi?

Eu digo:

— Foi incrível.

— Concordo, você estava ótima no palco. Parecia diferente, não sei.

— Ah, você está falando do discurso. Eu estava falando da noite toda. Tive uma sensação tão estranha, como se eu e Abby tivéssemos algum tipo de conexão.

Dynna agarrou meu braço e disse:

— Não acredito que você acabou de falar isso. Não acredito. Eu juro por Deus que senti a mesma coisa. Senti alguma coisa acontecendo entre vocês lá do fundo do salão. Que loucura.

Eu a encaro e comento:

— Foi loucura mesmo. É loucura. Essa noite toda... Essa conexão entre nós... Foi como se...

Dynna me olhou, séria, e completou:

— Como se vocês duas se conhecessem de vidas passadas?

Parte dois

Chaves

LARGANDO CHAVES

A pequena mulher
Constrói gaiolas para todos que
Ela
Conhece.
Enquanto a sábia,
Que precisa baixar a cabeça
Quando a lua está baixa,
Vai largando chaves a noite toda
Para os
Belos
Furiosos
Prisioneiros.
— HAFIZ

Eu nunca desapareci por completo. Minha faísca sempre esteve dentro de mim, ardendo. Mas com certeza senti como se ela tivesse se apagado por um longo tempo. Minha bulimia da infância acabou se transformando em alcoolismo e uso de drogas, e eu fiquei entorpecida por dezesseis anos. Então, quando tinha 26 anos, engravidei e fiquei sóbria. A sobriedade foi o campo em que comecei a me lembrar de que era selvagem.

A coisa foi assim: comecei a construir o tipo de vida que uma mulher deve construir. Eu me tornei uma boa esposa, mãe, filha, cristã, cidadã, escritora, mulher. Mas enquanto fazia lanches da escola, escrevia livros de memória, corria por aeroportos, batia papo com vizinhos, continuava minha vida exterior, sentia uma inquietação elétrica zumbindo dentro de mim. Era como um trovão constante, ribombando *bem ali*, debaixo da pele — um trovão feito de alegria e dor e fúria e desejo e amor profundo, ardente e doce demais para este mundo. Era como água fervendo, sempre ameaçando borbulhar.

Eu tinha medo do que havia dentro de mim. Parecia poderoso o suficiente para destruir cada pedaço da bela vida que tinha construído. Era como eu nunca me sentir segura em uma varanda, afinal, e se eu pulasse?

Tudo bem, falava para mim mesma. Vou manter a mim e aos meus a salvo, escondendo o que há dentro de mim.

Ficava impressionada com o quanto isso era fácil. Eu estava cheia de raios e trovões, água fervente, vermelho e dourado intensos, mas tudo que tinha que fazer era sorrir e assentir e o mundo me veria tranquila como uma brisa. Às vezes eu me perguntava se talvez não fosse a única usando a pele como contenção. Talvez todos nós sejamos fogo envolto em pele, tentando parecer tranquilos.

Meu ponto de ebulição foi o momento em que Abby entrou por aquela porta. Eu olhei para ela e não pude mais me conter. Perdi o controle. Borbulhas desse vermelho e dourado intenso, de dor e amor e desejo, me preencheram, me colocaram de pé, me abriram os braços, insistiram: *Aí. Está. Ela.*

Por muito tempo pensei que o que tinha acontecido naquele dia era algum tipo de magia de contos de fadas. Pensei que as palavras *Aí está ela* tinham sido enviadas dos céus. Agora eu sei que *Aí está ela* veio de dentro. Aquela força feroz que borbulhou de leve dentro de mim por tanto tempo que finalmente se transformou em palavras e me ergueu era *eu*. A voz que eu finalmente ouvi naquele dia era a minha própria — da garota que eu tinha escondido a sete chaves aos 10 anos, antes de o mundo me dizer quem ser —, e ela disse: *Aqui estou eu. Vou tomar as rédeas agora.*

Quando eu era criança, sentia o que precisava sentir e seguia meus instintos e todos os meus planos vinham da minha própria imaginação. Era selvagem até ser domada pela vergonha. Até começar a esconder e anestesiar meus sentimentos por medo de ser demais. Até começar a me dobrar aos conselhos dos outros em vez de confiar na minha própria intuição. Até me convencer de que minha imaginação era ridícula e meus desejos eram egoístas. Até eu me entregar às jaulas das expectativas alheias, ordens culturais e alianças institucionais. Até eu enterrar quem eu era para poder me tornar quem deveria ser. Eu me perdi quando aprendi a agradar.

A sobriedade foi minha trabalhosa ressurreição. Foi meu retorno a um estado selvagem. Foi um longo relembrar. Foi perceber que o trovão quente e elétrico que sentia zumbindo e se revirando dentro de mim era eu — tentando chamar minha atenção, implorando para que eu lembrasse, insistindo: *Eu ainda estou aqui.*

Então eu finalmente me soltei. Libertei meu eu selvagem, lindo, violento, verdadeiro. Eu tinha razão sobre o seu poder. Era uma pessoa grande demais para a vida que eu estava vivendo até então. Para se estabelecer, esse eu precisou destruir sistematicamente o eu estabelecido.

Então construí uma vida só minha.

Fiz isso ressuscitando as mesmas partes de mim que fui treinada para desconfiar, esconder e abandonar de modo a manter os outros confortáveis.

Minhas emoções

Minha intuição

Minha imaginação

Minha coragem

Essas são as chaves da liberdade.

Isso é *quem nós somos*.

Seremos corajosos o bastante para destrancar nós mesmos?

Seremos corajosos o bastante para libertar a nós mesmos?

Será que finalmente sairemos de nossas jaulas e diremos a nós mesmos, às pessoas que amamos e ao mundo: *Aqui estou eu?*

Sentir

Chave número 1: Sinta tudo

No meu sexto dia de sobriedade, fui à minha quinta reunião de recuperação. Sentei em uma cadeira de plástico gelada, trêmula, tentando evitar que o café se derramasse do copo de plástico e meus sentimentos se derramassem da minha pele. Por dezesseis anos eu tinha me certificado de que nada me tocasse, e de repente tudo no mundo estava me tocando. Eu era um nervo exposto. Tudo doía.

Eu estava envergonhada de dizer a alguém o quanto doía, mas decidi tentar explicar para as pessoas naquele grupo. Eram as primeiras a quem confiei meu eu completo, porque eram as primeiras pessoas que eu já tinha ouvido contarem toda a verdade. Então elas me mostraram suas entranhas, e eu mostrei as minhas para elas. Falei algo como: "Meu nome é Glennon, estou sóbria há seis dias. Estou me sentindo um horror. Acho que esse horror é o motivo pelo qual comecei a beber para começo de conversa. Estou começando a me preocupar com a ideia de que o que havia de errado comigo não era a bebida, mas o que estava por baixo dela. Ou seja, eu mesma. Estar vivo não parecia ser tão difícil para as outras pessoas quanto é para mim. É como se houvesse algum segredo da vida que eu desconheço. Como se eu estivesse fazendo tudo errado. Obrigada por me ouvirem."

Depois que a reunião acabou, um mulher se aproximou e se sentou ao meu lado. Ela sorriu e disse:

— Obrigada por dividir sua história. Eu entendo. Só queria dizer uma coisa que alguém me disse quando eu estava começando aqui: não tem problema sentir todas as coisas que você está sentindo. Você só está se tornando humana de novo. E não está fazendo isso do jeito errado, ok? Está tudo certo. Se existe alguma coisa que você está deixando passar, é só o fato de que fazer isso direito é mesmo difícil. Sentir todos os seus sentimentos é muito difícil, mas é para isso que eles existem. Os sentimentos são para serem sentidos. Todos eles. Mesmo os difíceis. O segredo é que você está fazendo direito, e que fazer direito dói às vezes.

Antes que aquela mulher me contasse, eu não sabia que todos os sentimentos são para se sentir. Eu não sabia que era para eu sentir *tudo*. Achei que era para eu me sentir *feliz*. Achava que felicidade era para se sentir e que a dor era para consertar e entorpecer e evitar e esconder e ignorar. Achei que, quando a vida ficava difícil, era porque eu tinha feito alguma coisa errada em algum ponto. Achei que a dor era uma fraqueza e que era para eu *engolir o choro*. Mas a questão é que, quanto mais eu engolia o choro, mais comida e bebida eu tinha que engolir junto.

Naquele dia, comecei a retornar para mim mesma. Trêmula, com medo, grávida e sóbria há seis dias, no porão de uma igreja com luzes fluorescentes horríveis e um café péssimo, quando aquela mulher gentil revelou para mim que ser totalmente humano não tem a ver com sentir felicidade, tem a ver com sentir tudo. Daquele dia em diante, eu comecei a praticar sentir tudo. Comecei a insistir no meu direito e no meu dever de sentir tudo, mesmo quando usar esse tempo e energia para sentir me faziam um pouco menos eficiente, um pouco menos conveniente, um pouco menos agradável.

Nos últimos dezoito anos, aprendi duas coisas sobre a dor:

Primeiro: eu posso sentir tudo e sobreviver.

O que eu achei que me mataria, não matou. Todas as vezes que eu disse a mim mesma: *Não aguento mais...* Eu estava errada. A verdade era que eu conseguia aguentar e aguentei — e continuei sobrevivendo. Sobreviver várias e várias vezes me fez sentir menos medo de mim mesma, das outras pessoas, da vida. Aprendi que eu nunca ficaria livre da dor, mas que poderia ficar livre do medo da dor, e que isso era suficiente. Finalmente parei de evitar o fogo o suficiente para me permitir queimar, e o que aprendi é que sou como aquele arbusto em chamas: o fogo da dor não vai me consumir. Vou queimar e queimar e continuar vivendo. Consigo viver ardendo. Sou à prova de fogo.

Segundo: eu posso usar a dor para me tornar.

Estou aqui para continuar me tornando versões mais verdadeiras e mais belas de mim mesma, várias vezes, para sempre. Estar vivo é estar em um estado perpétuo de revolução. Quer eu goste ou não, dor é o combustível dessa revolução. Tudo que preciso para me tornar a mulher que devo ser a seguir está dentro dos meus piores sentimentos no agora. A vida é alquimia, e emoções são o fogo que me transformam em ouro. Só vou continuar a me transformar se resistir ao ímpeto de apagar minha chama um milhão de vezes por dia. Se eu puder resistir — se conseguir ficar parada dentro das chamas dos meus próprios sentimentos — vou continuar no rumo certo.

A cultura do consumismo nos promete que é possível comprar meios de sair da dor — que o motivo da nossa tristeza e raiva não é que ser humano dói; é que não temos aquela ilha de cozinha, as coxas de Fulana, aqueles jeans. É uma forma esperta de fazer a economia funcionar, mas não dá para fazer uma vida funcionar assim. Consumir nos mantém distraídos, ocupados e entorpecidos. O entorpecimento nos impede de nos tornar.

É por isso que todo grande líder espiritual nos diz a mesma história sobre a humanidade e a dor: não a evite. Você precisa dela para evoluir, para se tornar. E você está neste mundo para se tornar.

Como Buda, que teve que deixar sua vida de conforto para experimentar todo tipo de sofrimento humano antes de encontrar a iluminação.

Como Moisés, que caminhou por quarenta anos no deserto antes de ver a terra prometida.

Como Westley de *A princesa prometida*, que disse: "A vida é dor, Vossa Alteza. Qualquer um que discorde está tentando vender alguma coisa."

Como Jesus, que marchou direto para a própria crucificação.

Primeiro a dor, depois a espera, depois a ascensão. Todo o nosso sofrimento vem de quando tentamos chegar à nossa ressurreição sem nos permitir sermos crucificados primeiro.

Não há glória além da que vem de enfrentar a sua história.

A dor não é uma tragédia: a dor é mágica. O sofrimento é mágico. O sofrimento é o que acontece quando evitamos a dor e consequentemente perdemos a chance de nos tornar. É isso que eu posso e devo evitar: perder minha própria evolução porque estou com medo demais de me entregar ao processo. Ter tão pouca fé em mim mesma que me entorpeço, me escondo ou consumo coisas para abafar os sentimentos ardentes dentro de mim. Meu objetivo é parar de abandonar a mim mesma — e permanecer. Confiar que sou forte o suficiente para aguentar a dor que é necessária para o processo de me tornar. O que me assusta muito mais do que a dor é viver a vida sem me dar conta do que me tornei. O que me assusta mais do que sentir tudo é perder tudo.

Hoje em dia, quando a dor vem, existem duas de mim.

Existe a Glennon infeliz e assustada, e existe a Glennon curiosa e animada. Essa segunda Glennon não é masoquista; ela é sábia. Ela se lembra de que, mesmo quando não sei o que vai acontecer a seguir na vida, sempre sei o que vem a seguir no processo. Sei que quando a dor e a espera chegam, a ascensão está a caminho. Torço para que a dor passe logo, mas vou esperar porque já testei a dor o suficiente para confiar nela. E porque quem vou me tornar amanhã é tão imprevisível e específico que vou precisar de cada uma das lições de hoje para me tornar ela.

Mantenho um recado preso no espelho do banheiro.

Sinta tudo.

Essa frase me faz lembrar que, embora eu tenha começado a voltar a mim mesma dezoito anos atrás, eu continuo o processo a cada dia, a cada momento em que me permito sentir e me tornar. É um lembrete diário para me permitir virar cinzas e ressurgir, nova.

Saber

Chave número dois: pare e descubra

Muitos anos atrás, em uma madrugada, eu me vi incapaz de dormir de novo. Eram três da manhã, e eu estava enlouquecendo, perdendo a cabeça, buscando respostas como uma afogada desesperada por ar. Eu tinha acabado de digitar as seguintes palavras na busca do Google:

O que devo fazer se meu marido me traiu mas é um ótimo pai?

Eu encarei aquela pergunta e pensei: *Bem, acho que cheguei a um novo fundo do poço. Acabei de pedir para a* internet *tomar a decisão mais importante e mais pessoal da minha vida. Por que eu confio em todo mundo no planeta mais do que confio em mim mesma? ONDE DIABOS EU MESMA FUI PARAR? Quando foi que perdi o contato comigo?*

Cliquei em artigos e mais artigos mesmo assim. Para meu desespero, todo mundo achava que eu deveria fazer uma coisa diferente. Os especialistas em religião insistiam que uma boa cristã permaneceria no casamento. As feministas argumentavam que uma mulher forte se separaria. Artigos sobre maternidade diziam que uma boa mãe só pensaria no melhor para os filhos. Todas essas opiniões significavam que literalmente eu não poderia agradar a todos. Foi um alívio. Quando uma mulher finalmente aprende que agradar todo mundo é impossível, ela se torna livre para aprender a agradar a si mesma.

Olhei para todos esses pontos de vista contraditórios e pensei: *Se existe, de verdade, uma forma objetivamente certa ou errada de lidar com isso, por que as pessoas pensam de formas diferentes a respeito do que fazer?* Nesse momento, tive uma epifania: talvez *deveria* e *não deveria*, *certo* e *errado*, *bom* e *mau*... não sejam conceitos selvagens. Não são coisas reais, apenas jaulas sociais construídas artificialmente, sempre em transformação, criadas para manter as instituições. Eu me dei conta de que em toda família, cultura ou religião, ideias de certo e errado são ferros em brasa para marcar o gado, os cães de pastoreio que mantêm o rebanho sob controle com seus latidos. São as barras que nos encarceram.

Decidi que, se eu continuasse fazendo a coisa "certa", passaria a vida toda seguindo as instruções de outra pessoa em vez das minhas. Não queria viver minha vida sem viver minha vida. Queria tomar minhas próprias decisões como uma mulher livre, vindas da minha alma, não do meu treinamento. Mas o problema era que eu não sabia como.

Algumas semanas depois, abri um cartão de uma amiga que dizia, em letras gigantes, em negrito e maiúsculas:

PARE E DESCUBRA.

Eu já tinha lido aquela frase muitas vezes, mas daquela vez bateu diferente. Não dizia: "Pergunte para os seus amigos e descubra", ou "Leia livros de especialistas e descubra", ou "Pesquise na internet e descubra". Sugeria uma estratégia diferente para descobrir: *Apenas. Pare.*

PareDeSeMexerPareDeFalarPareDeProcurarPareDeEntrarEmPânicoPareDeSeDesesperar.

Se você simplesmente parar de fazer, vai começar a descobrir.

Parece uma palhaçada mágica, mas mulheres desesperadas tomam medidas desesperadas. Decidi experimentar. Depois que as crianças saíram para a escola, me fechei no meu armário, sentei em uma toalha, fechei os olhos e não fiz nada além de respirar. De início, cada sessão de dez minutos pareceu levar dez horas. Eu pegava o telefone a cada poucos momentos, torcendo para o tempo já ter passado. Planejava listas do mercado e redecorava mentalmente a sala. As únicas coisas que eu parecia "descobrir" ali sentada no chão era que eu estava com fome e com coceira e de repente desesperada para dobrar a roupa limpa e reorganizar a despensa. Era uma viciada em estímulos jogada na desintoxicação. Ficava tentada a desistir a cada segundo, mas fui firme comigo mesma: *Dez minutos por dia não é muito tempo para se passar tentando encontrar a si mesma, Glennon. Pelo amor de Deus, você passa oitenta minutos por dia tentando encontrar as chaves.*

Depois de algumas semanas, como uma ginasta capaz de se alongar cada vez mais depois de cada treino, comecei a me sentir mergulhando um pouco mais a cada nova sessão. Depois de um tempo, mergulhei fundo o bastante para encontrar um novo nível dentro de mim que eu nunca soubera que existia. Esse lugar é subterrâneo; profundo, silencioso, imóvel. Não há vozes lá, nem mesmo a minha. Tudo que ouço aqui embaixo é minha respiração. Era como se eu estivesse me afogando e, em pânico, estivesse lutando para respirar, pedir ajuda, nadar até a superfície. Mas o que eu realmente precisava para me salvar era me permitir afundar. Percebi que é por isso que, em inglês, se diz *calm down*. Porque abaixo do ruído e do estrondo das ondas quebrando existe um lugar em que tudo é calmo e claro.

Como o caos se acalma nestas profundezas, ali eu conseguia sentir algo que não era capaz de perceber na superfície. Era como aquela câmara silenciosa na Dinamarca — um dos lugares mais quietos do mundo — em que as pessoas conseguem ouvir e sentir o próprio sangue circulando. Lá, nas profundezas, eu conseguia sentir algo circulando dentro de mim. Um *Saber*.

Eu consigo *saber* coisas aqui embaixo que não sou capaz de perceber na superfície caótica. Aqui, quando faço uma pergunta sobre minha vida — com palavras ou com imagens abstratas —, sinto um toque. Esse toque me guia em direção à próxima coisa correta, e então, quando silenciosamente presto atenção nesse toque… ele me preenche. O Saber parece um líquido morno e dourado enchendo minhas veias e solidificando só o bastante para me dar uma sensação de segurança, de certeza.

O que eu aprendi (embora eu tema dizer isso) é que Deus vive nessas profundezas dentro de mim. Quando reconheço a presença e a orientação de Deus, Ela comemora me enchendo desse ouro cálido.

69

Todos os dias eu voltava para dentro do armário, sentava no chão coberto de camisetas e jeans e praticava o mergulho. O Saber me encontrava lá no fundo e me indicava a próxima coisa certa, uma de cada vez. Foi assim que eu comecei a saber o que fazer a seguir. Foi assim que comecei a andar pela vida com mais clareza, mais presença, cada vez mais sólida e certa.

Um ano depois, me vi no meio de uma reunião de trabalho, sentada a uma longa mesa de conferências. Discutíamos uma decisão importante que precisava ser tomada, e a equipe estava querendo que eu tomasse a dianteira. Eu estava confusa e indecisa. Estava prestes a voltar ao meu método antigo de saber: procurando externamente a aceitação, a permissão, o consenso. Mas quando dei uma olhada para o lado e vi a porta do estoque, me lembrei da minha nova forma de saber.

Eu me perguntei se as pessoas se importariam caso eu pedisse licença para passar alguns minutos no estoque. Em vez disso, respirei fundo e, com os olhos bem abertos, me voltei para dentro e tentei mergulhar em mim bem ali, na mesa. Funcionou. Senti o toque e, assim que o identifiquei, fui preenchida por ouro líquido. Voltei para a superfície, sorri e disse:

— Eu sei o que fazer.

Calma e decididamente falei para a equipe o que eu gostaria que fizéssemos. O pânico na sala passou. Todo mundo respirou fundo e pareceu na mesma hora mais relaxado e calmo. Nós seguimos em frente.

Deus tinha saído do armário, e agora eu posso levar Deus para todos os lugares.

Agora eu recebo ordens apenas do meu próprio Saber. Não importa se a decisão é profissional, pessoal ou familiar, monumental ou minúscula — sempre que a incerteza surge, eu mergulho. Eu mergulho abaixo das ondas confusas de palavras, medos, expectativas, condicionamentos e conselhos, e sinto o Saber. Eu mergulho mil vezes por dia. Tenho que fazer isso, porque o Saber nunca revela um plano para dali a cinco anos. Para mim parece um guia amoroso e brincalhão, como se a razão pela qual só me revela a próxima coisa certa a fazer é porque quer que eu volte sempre, porque quer criar minha vida junto comigo. Depois de muitos anos, estou desenvolvendo uma relação com esse Saber: estamos aprendendo a confiar um no outro.

Quando falo assim, minha esposa ergue uma sobrancelha e pergunta:

— Você não está só falando sozinha?

Talvez. Se o que descobri nessa profundeza sou eu mesma — se o que aprendi não é a como comungar com Deus e sim a comungar comigo mesma, se a pessoa em quem aprendi a confiar não for Deus e sim eu mesma, e se, pelo resto da minha vida, não importa o quão perdida eu esteja, eu souber exatamente onde e como me encontrar de novo —, bem, que seja. Parece milagre suficiente para mim.

Por que nos preocupamos em descobrir *do que* chamar esse Saber, em vez de dividir uns com os outros *como* encontrá-lo? Conheço muitas pessoas que encontraram esse lugar dentro de si e vivem somente segundo suas regras. Algumas chamam o Saber de Deus ou sabedoria ou intuição ou fonte ou eu profundo. Eu tenho uma amiga com alguns problemas sérios com Deus, e ela chama o Saber dela de Sebastian. Um Deus por qualquer outro nome é um milagre e um alívio iguais. Não importa que *nome* damos ao nosso Saber. O que importa — se quisermos viver essa nossa única vida, tão efêmera quanto uma estrela cadente — é *chamá-lo*.

Eu aprendi que, para ascender, primeiro é necessário mergulhar. Tenho que procurar e confiar na voz da minha sabedoria interna em vez de buscar aprovação em vozes externas. Isso me poupa de viver a vida de outra pessoa. Também me poupa muito tempo e energia. Eu só faço a próxima coisa a que o Saber guia, uma coisa de cada vez. Não peço permissão primeiro, o que é uma forma muito adulta de se viver. A melhor parte é a seguinte: o Saber está além e abaixo de qualquer linguagem, então não tenho palavras para traduzir isso para ninguém. Como o Saber não usa palavras para se explicar para mim, paro de usar palavras para me explicar para o mundo. Essa é a coisa mais revolucionária que uma mulher pode fazer: a próxima coisa certa, uma coisa de cada vez, sem pedir permissão ou oferecer explicação. Viver assim é eletrizante.

Compreendo agora que ninguém mais no mundo sabe o que eu devo fazer. Os especialistas não sabem, os padres, os terapeutas, as revistas, os autores, meus pais, meus amigos, eles não sabem. Nem mesmo as pessoas que me amam mais que tudo. Porque ninguém já viveu ou vai viver esta vida que estou tentando ter, com meus dons e desafios e passado e pessoas. Toda vida é um experimento sem precedentes. Esta vida é minha e só minha. Então eu parei de pedir às pessoas indicações para lugares em que elas nunca estiveram. Não existe mapa. Somos todos pioneiros.

Tenho essa segunda chave tatuada no pulso:

Pare.

É um lembrete diário de que, se estou disposta a ficar na imobilidade comigo mesma, sempre vou saber o que fazer. Que as respostas nunca estão lá fora. Estão tão próximas quanto a minha respiração, são tão certas quando meus batimentos cardíacos. Tudo que tenho que fazer é parar de me debater, mergulhar abaixo da superfície e sentir o toque e o ouro. Então tenho que confiar nele, não importa o quão ilógica ou assustadora a próxima coisa certa pareça. Porque quanto mais eu sigo meu Saber interno de forma consistente, corajosa e objetiva, mais objetiva e bela minha vida exterior se torna. Quanto mais eu vivo pelo meu próprio Saber, mais minha vida se torna minha própria, e menos medo eu sinto. Eu confio que o Saber vai estar comigo não importa onde eu vá, me indicando a próxima coisa certa, uma coisa de cada vez, me guiando até meu lar.

Como saber:
Momento de incerteza surge.
Respire, volte-se para dentro, mergulhe.
Sinta e procure o Saber.
Faça a próxima coisa para a qual o Saber instigue você.
Deixe estar. (Não se explique.)
Repita para sempre.

(Para o resto da vida: continue a diminuir a distância entre o Saber e o fazer.)

Imaginar

Chave número três: ouse imaginar

Quando eu tinha 26 anos, me vi sentada no chão sujo de um banheiro segurando um teste de gravidez positivo. Encarei a cruzinha azul e pensei: *Bom, isso é impossível. Não existe candidata pior para a maternidade na Terra.* Eu tinha episódios de compulsão alimentar e forçava o vômito várias vezes por dia nos últimos dezesseis anos. Eu bebia até desmaiar todas as noites pelos últimos sete anos. Tinha destruído meu fígado, meu crédito, minha ficha policial, meu esmalte dos dentes e todos os meus relacionamentos. A cabeça doendo, as garrafas de cerveja vazias no chão, minha conta bancária, meus dedos trêmulos e sem aliança, tudo isso gritava: *Não. Você não.*

Ainda assim, algo dentro de mim sussurrava: *Sim. Eu.*

Apesar de todas as evidências contrárias, eu conseguia me *imaginar* como uma mãe sóbria e feliz.

Eu fiquei sóbria, depois me tornei mãe, esposa e escritora.

Vamos adiantar para catorze anos depois disso. Lembrete: tenho 40 anos agora. Tenho um marido, dois cachorros e três filhos que amam o pai. Também tenho uma carreira meteórica como autora, baseada em parte na minha família e no cristianismo tradicional. Estou em um evento para lançar meu novo livro, as memórias altamente esperadas sobre a redenção do meu casamento. Naquele evento, uma mulher entra na sala e eu me apaixono perdidamente no mesmo momento. Minhas circunstâncias, meu medo, minha religião, minha carreira — tudo gritava: *Não. Ela não.*

Ainda assim, algo dentro de mim sussurrava: *Sim. Ela.*

Aquele algo dentro de mim era minha imaginação.

Apesar de todas as evidências contrárias, eu conseguia me *imaginar* como parceira de Abby. Eu podia imaginar o tipo de amor em que era vista por completo, conhecida e admirada.

Os fatos estava bem ali na frente dos meus olhos.

Mas a verdade estava dentro de mim.

Explodindo, insistindo, martelando: *Existe uma vida feita para você que é mais real e mais verdadeira do que a que você está vivendo. Mas para conseguir tê-la, você terá que criá-la você mesma. Você vai ter que criar do lado de fora o que está imaginando por dentro. Só você pode trazê-la para o mundo. E vai lhe custar tudo.*

Eu aprendi a viver com fé, o que não significa que eu viva segundo uma série de crenças ou dogmas inabaláveis que homens criaram séculos atrás para controlarem todas as outras pessoas. Minha fé não tem mais nada a ver com religião. Para mim, viver com fé significa permitir que a explosão e a insistência dentro de mim dirijam minhas palavras e decisões externas. Porque para mim, Deus não é um ser externo a mim. Deus é o fogo, o toque, o ouro líquido cálido que explode e martela dentro de mim.

Na verdade, meu conceito favorito de fé é *uma crença na ordem invisível das coisas.*

Existem duas ordens das coisas:

Existe a *ordem visível* se desdobrando à nossa frente todos os dias nas ruas e nos noticiários. Nessa ordem visível, a violência reina e crianças levam tiros nas escolas e senhores da guerra prosperam e um por cento do mundo controla e acumula metade de tudo que temos. Chamamos essa ordem das coisas de realidade. Essa é "a forma como as coisas são". É tudo que podemos ver porque é tudo que sempre vemos. Mesmo assim, algo dentro de nós a rejeita. Nós sabemos instintivamente: essa não é a ordem natural das coisas. Sabemos que existe uma forma melhor, mais real, mais selvagem.

Essa forma melhor é a *ordem invisível* dentro de nós. É a visão que carregamos na imaginação sobre um mundo mais verdadeiro e mais belo — um em que todas as crianças têm o que comer, onde não nos matamos, onde mães não precisam atravessar desertos com os filhos nas costas. Essa ideia melhor é o que os judeus chamam de *shalom*, os budistas de iluminação, os cristãos de paraíso, os muçulmanos de *salaam* e os agnósticos de paz. Não é um lugar *lá fora* — ainda não; é aquela onda de esperança *aqui dentro*, pressionando sob a pele, insistindo que tudo isso era para ser mais bonito do que é. E pode ser, se nós nos recusarmos a esperar para morrer e "ir para o céu", e em vez disso encontrar o céu dentro de nós e o parirmos no aqui e agora. Se trabalharmos para tornar a visão da ordem invisível que cresce dentro de nós visível nas nossas vidas, casas e nações, vamos tornar a realidade mais bela. Assim na Terra como no Céu. Em nosso mundo material como é em nossa imaginação.

Tabitha.

Ela nasceu em cativeiro. A única ordem visível que conhece inclui jaulas e coelhinhos cor-de-rosa sujos e aplausos fracos e entediados. Tabitha não conhece a selva. Ainda assim, Tabitha *conhece a selva*. Estava *dentro* dela. Ela sentia a pressão da ordem invisível como uma intuição constante. Talvez para nós, como para Tabitha, a verdade mais profunda não é o que podemos ver, mas sim o que podemos imaginar. Talvez a imaginação não seja para onde vamos para escapar da realidade, e sim para onde vamos para nos lembrar dela. Talvez quando queremos saber o plano original para nossas vidas, famílias, mundo, devemos consultar não o que está à nossa frente, e sim o que há dentro de nós.

É na imaginação que revoluções pessoais e mundiais começam.

"Eu tenho um sonho", disse Martin Luther King Jr.

"Sonhar, afinal, é uma forma de planejar", disse Gloria Steinem.

Para fazer nossa cultura seguir em frente, eles tiveram que falar e planejar a partir da ordem invisível dentro de si. Para quem não é consultado na construção da ordem visível, inflamar a imaginação é a única forma de ver além do que foi criado para nos deixar de fora. Se quem não foi parte do planejamento da realidade consultar somente a realidade para ver o que é possível, a realidade nunca vai mudar. Vamos continuar lutando e competindo por um lugar à mesa deles em vez de construir nossas próprias mesas. Vamos continuar batendo a cabeça nos tetos de vidro deles em vez de abrir nossas imensas tendas do lado de fora. Vamos permanecer enjaulados por este mundo em vez de tomar nosso merecido lugar como cocriadores dele.

Cada um de nós nasceu para trazer ao mundo algo que nunca existiu: uma forma de ser, uma família, uma ideia, arte, uma comunidade — algo novo em folha. Estamos aqui para nos apresentar completamente, para impor nossos eus, nossas ideias, nossos pensamentos e sonhos no mundo, deixando-o para sempre transformado por quem somos e pelo que trazemos de nossas profundezas. Então não podemos nos contorcer para caber na ordem visível. Temos que nos soltar das coleiras e assistir ao mundo se reordenar diante de nossos olhos.

Meu trabalho é ouvir as mulheres com atenção. O que muitas tentam me dizer é que abrigam uma sensação dolorosa e insistente de que suas vidas, seus relacionamentos e seu mundo eram para ser mais bonitos do que são.

Elas me perguntam: "Meu casamento não deveria ser mais amoroso? Minha religião não deveria ser mais viva e gentil? Meu trabalho não deveria ser mais significativo, minha comunidade, mais conectada? O mundo que estou deixando para meus filhos não deveria ser menos brutal? Isso tudo não era para ser mais bonito do que é?"

As mulheres fazendo essas perguntas me lembram Tabitha. Estão caminhando pela periferia de suas vidas, se sentindo descontentes. Para mim, isso é animador, porque o descontentamento é a imaginação cutucando você. O descontentamento é a prova de que sua imaginação não desistiu de você. Ainda está pressionando, crescendo, tentando chamar sua atenção sussurrando: "Não é isso."

"Não é isso" é um estágio muito importante.

Mas saber o que não queremos não é a mesma coisa que saber o que queremos.

Então como podemos ir de *Não é isso* para *É isso*? Como podemos sair de nos *sentirmos* descontentes para *criarmos* novas vidas e novos mundos? Em outras palavras: como podemos começar a viver a partir do que imaginamos em vez de viver do que nos foi doutrinado?

A linguagem é minha ferramenta favorita, então eu a uso para ajudar as pessoas a construir uma ponte entre o que está na frente delas e o que está dentro delas. Aprendi que se queremos ouvir a voz da imaginação, precisamos falar na linguagem que ela compreende.

Se queremos saber quem éramos destinados a ser antes que o mundo dissesse quem ser...

Se queremos saber onde estávamos destinados a ir antes de sermos colocados no nosso lugar...

Se queremos experimentar a liberdade em vez do controle...

Precisamos reaprender o idioma nativo da nossa alma. Quando mulheres escrevem para mim na linguagem da doutrinação — quando usam palavras como *bom* e *deveria* e *certo* e *errado* —, tento responder a elas na linguagem da imaginação.

Todos nós somos bilíngues. Falamos a linguagem da doutrinação, mas nosso idioma nativo é a linguagem da imaginação. Quando usamos a linguagem da doutrinação — com seus *deveria* e *não deveria*, *certo* e *errado*, *bom* e *ruim* —, estamos ativando nossa mente. Não é isso que queremos aqui. Porque nossas mentes estão poluídas pelo treinamento. Para ultrapassar nosso treinamento, precisamos ativar nossas imaginações. Nossa mente cria desculpas; nossa imaginação cria histórias. Então, em vez de nos perguntar o que é certo ou errado, temos que nos perguntar:

O que é verdadeiro e belo?

É então que nossa imaginação floresce dentro de nós, nos agradece por consultá-la depois de todos esses anos, e nos conta uma história.

Clare me escreveu recentemente. Ela é advogada e filha de um alcoólatra. Quando decidiu me mandar um e-mail, tinha acabado de acordar, ainda balançada pelas taças de vinho "para relaxar" da noite anterior. Ela escreveu que passa a maior parte do tempo entorpecida ou confusa ou envergonhada. "G, eu sinto que estou desperdiçando minha vida", escreveu. "O que eu deveria fazer?"

"Clare", respondi. "Qual é a história mais verdadeira e mais bonita sobre a sua vida que você pode imaginar?"

Sasha me escreveu para contar sobre seu casamento. Era casada com um cara distante e frio, exatamente como o pai era. Sasha passava a maior parte dos dias lutando para merecer o amor do marido, como a mãe fizera com o pai. Ela escreveu: "Estou tão cansada e sozinha. Qual é a coisa certa a fazer aqui?"

Eu respondi: "Sasha, você pode me contar uma história sobre o casamento mais verdadeiro e belo que você pode imaginar?"

Danielle, uma ex-professora de jardim de infância de 34 anos, me escreveu recentemente. Ela passa dia e noite assistindo ao filho de sete anos morrer lentamente em seus braços, torturado pela mesma doença que matou seu primogênito três anos atrás. Dia e noite, ela fica sentada na cabeceira do filho — alimentando-o, cantando para ele, acalmando-o. "Estou destruída, Glennon", escreveu ela. "Não sei o que fazer."

Eu escrevi de volta: "Danielle, qual é a história mais verdadeira e mais bonita que você pode imaginar sobre uma mãe e seus filhos?"

Todas me responderam. Clare escreveu uma história sobre uma mulher que nunca desistiu de si mesma, que enfrentou a vida nos termos dela, e que se mantinha presente para si, para suas pessoas, para a vida. Ela acreditou naquela visão o bastante para começar a fazer terapia e deixar emergir com segurança toda a dor que estava tentando afogar com vinho. Meses depois ela escreveu para dizer que seu novo jeito de ser é mais difícil do que nunca, mas é o tipo certo de difícil. Ela não está mais desperdiçando a própria vida. Quando se olha no espelho, não precisa mais desviar o olhar. É uma mulher que hoje consegue olhar nos próprios olhos.

Sasha passou várias noites escrevendo uma história sobre o casamento mais verdadeiro e mais belo que ela poderia imaginar. Passou uma semana reunindo a coragem para me mandar porque tinha medo de deixar alguém do lado de fora ver o que estava dentro dela. Depois de um tempo, ela imprimiu o que escreveu e deixou no travesseiro do marido. Ficou de coração partido quando ele não comentou nada por três semanas. Então, uma noite, encontrou um convite dele, pedindo que fossem a um retiro matrimonial. Os dois conseguiam imaginar algo mais bonito que aquilo, afinal. Estavam prontos a tentar torná-lo realidade.

Danielle me respondeu do quarto de hospital do filho depois que pedi a história mais verdadeira e mais bonita sobre ser mãe que ela poderia imaginar.

Ela disse o seguinte: "Passei a última semana pensando sobre a sua pergunta. Consigo imaginar mil histórias mais fáceis sobre mães e filhos. Consigo pensar em um milhão de histórias mais felizes. Mas não consigo imaginar uma única história mais verdadeira ou mais bonita do que a história desoladora que vivo agora, com meus meninos."

"Nem eu", respondi. "Nem eu."

Não dá para prometer que a vida mais verdadeira e mais bonita será fácil. Precisamos superar essa mentira de que deve ser fácil.

Cada uma dessas mulheres começou a viver a partir da imaginação. Como? Fazendo jus ao próprio descontentamento. Ela não ignorou, enterrou, desviou, negou, culpou outra pessoa ou disse a si mesma para ficar quieta e grata. Ela ouviu seu Saber sussurrando "Não é isso" e admitiu para si aquilo que estava ouvindo. Refletiu por um tempo. Então ousou dizer aquele sussurro interno em voz alta. Dividiu esse descontentamento com outro ser humano.

Então, quando estava pronta para ir do *Não é isso* para o *É isso*, ela ousou perguntar à própria imaginação qual história ela nasceu para contar. Ela sonhou como seria ter sua versão específica da verdade e da beleza se tornando realidade. Ela procurou a planta baixa com que nasceu, a que tinha esquecido que existia. Ela desenterrou sua ordem invisível: seu plano original.

Aí — e isso é crucial — ela colocou isso no papel. As pessoas que constroem suas vidas mais verdadeiras e mais bonitas em geral fazem isso. É difícil saltar de sonhar para fazer. Como todo arquiteto ou designer sabe, existe um passo crítico entre a visão e a realidade. Antes que a imaginação se torne tridimensional, em geral precisa virar bidimensional. É como se a ordem invisível precisasse se materializar uma dimensão de cada vez.

Mulheres compartilharam comigo muitos sonhos bidimensionais nos últimos anos. Elas dizem: "Para mim, a mais verdadeira e mais bonita vida, família, mundo é assim..."

Eu me impressiono ao ver como cada uma das histórias delas é completamente única. É prova de que nossas vidas nunca foram destinadas a ser cópias iguaizinhas e socialmente construídas de algum ideal. Não existe um único jeito de viver, amar, criar os filhos, ter uma família, administrar uma escola, uma comunidade, uma nação. As normas foram criadas por alguém, e cada um de nós é um alguém. Podemos criar nosso próprio normal. Podemos jogar fora todas as regras e escrever as nossas próprias. Podemos construir nossas vidas de dentro para fora. Podemos parar de perguntar o que o mundo quer de nós e em vez disso nos perguntar o que nós queremos de nossos mundos. Podemos parar de olhar o que está à nossa frente por um tempo até descobrir o que existe dentro de nós. Podemos lembrar e libertar o poder transformador — de vidas, de relacionamentos, de mundos — da nossa própria imaginação. Pode levar a vida inteira. Por sorte, a vida inteira é exatamente todo o tempo que temos.

Vamos conjurar, das profundezas de nossas almas:

As vidas mais verdadeiras e mais belas que podemos imaginar.

As famílias mais verdadeiras e mais belas com que podemos sonhar.

O mundo mais verdadeiro e mais belo que podemos querer.

Vamos colocar tudo isso no papel.

Vamos olhar o que escrevemos e decidir que isso não é uma utopia; essas são nossas instruções mais urgentes. São a planta baixa de nossas vidas, nossas famílias, e do mundo.

Que a ordem invisível se torne visível.

Que nossos sonhos se tornem nossos planos.

Deixe queimar

Chave número quatro: construa e queime

Diante daquilo que sentimos, nosso eu interior se transforma. Quando descobrimos e imaginamos, nossos mundos exteriores se transformam. Viver em nossos mundos interiores é o que transforma nossos mundos exteriores. A questão é a seguinte: o caos é essencial para a criação. A destruição é essencial para a construção. Se queremos construir o novo, temos que estar dispostos a deixar queimar o velho. Precisamos estar comprometidos a nos prender somente à verdade. Se a verdade pode erradicar determinada crença, família, negócio, religião, indústria... então todas essas coisas já deveriam ter se transformado em pó ontem.

Se nós sentirmos, soubermos e imaginarmos — nossas vidas, famílias e mundo se tornarão versões mais verdadeiras de si mesmos. *Em algum momento.* Mas no início é muito assustador. Porque quando sentimos, sabemos e ousamos imaginar mais para nós, não conseguimos dessentir, dessaber ou desimaginar. Não tem como voltar atrás. Somos lançados no abismo — no espaço entre a vida "não verdadeira o suficiente" que estamos vivendo e a vida mais verdadeira que só existe dentro de nós. Então dizemos: "Talvez seja mais seguro apenas ficar aqui, talvez não seja verdadeiro o suficiente, mas bom o suficiente." O problema é que bom o suficiente é o que faz as pessoas beberem demais e reclamarem demais e se tornarem amargas e doentes e viverem em um desespero silencioso até o dia em que se veem no leito de morte, pensando: *Que tipo de mulher/relacionamento/família/mundo eu poderia ter criado se tivesse sido mais corajosa?*

A construção do verdadeiro e do belo significa a destruição do *bom o suficiente*. Renascimento significa morte. Quando uma visão mais verdadeira e mais bela nasce dentro de nós, a *vida* está na direção daquela visão. Se agarrar ao que não é mais verdadeiro o suficiente não é seguro; é a coisa mais arriscada a se fazer, porque é a morte certa de tudo que estava destinado a ser. Estamos vivos somente até o grau em que estamos dispostos a sermos aniquilados. A próxima vida sempre custará a vida atual. Se estamos verdadeiramente vivos, estamos sempre perdendo quem éramos agora há pouco, o que acabamos de construir, as coisas em que acreditávamos, o que achávamos ser verdade até ontem.

Eu já perdi identidades, crenças e relacionamentos em processos dolorosos. Aprendi que quando vivo baseada nos meus sentimentos, no meu saber e na minha imaginação, estou sempre perdendo. Mas o que perco é sempre o que não é mais verdadeiro o suficiente e assim posso me dedicar totalmente ao que é.

Por muito tempo eu me esforcei para viver de acordo com uma série de diretrizes recebidas ao longo da vida. Como ser uma mulher e uma mãe bem-sucedida; como construir uma família, uma carreira e uma fé fortes. Pensei que essas ideias compunham a chamada a Verdade universal, então abri mão de mim mesma para honrá-las *sem sequer desenterrá-las e examiná-las*. Quando finalmente arranquei essas diretrizes do meu subconsciente e olhei para elas com atenção, descobri que nunca tinham sido Verdade — eram só expectativas arbitrárias da minha cultura específica. Lutando para seguir as diretrizes da minha cultura, eu estava voando no piloto automático, seguindo para um destino onde eu nem sabia bem que queria pousar. Então peguei o manche de volta. Parei de me abrir mão de mim para cumprir essas diretrizes. Abrindo mão delas, comecei a honrar a mim mesma. Comecei a viver como uma mulher que joga fora todos os ditames do mundo e escreve os seus próprios.

Queimei a diretriz que definia o altruísmo como o máximo da feminilidade, mas primeiro me perdoei por ter acreditado nessa mentira por tanto tempo. Eu tinha aberto mão de mim mesma por amor. Eles me convenceram de que a melhor forma de uma mulher amar seu parceiro, sua família, sua comunidade e sua nação era se anular a serviço deles. No meu desejo de ser útil, acabei me tornando inútil para mim mesma e para o mundo. Eu vi o que acontece no mundo e dentro dos nossos relacionamentos quando as mulheres permanecem entorpecidas, obedientes, silenciosas e diminuídas. Mulheres altruístas tornam a sociedade eficiente, mas não bela, verdadeira ou justa. Quando mulheres se anulam, o mundo perde seu caminho. Não precisamos de mais mulheres altruístas. O que precisamos no momento é de mais mulheres cheias de si. Uma mulher que é cheia apenas de si não internaliza mais as diretrizes e expectativas do mundo. Uma mulher cheia de si mesma conhece e confia em si mesma o bastante para dizer e fazer o que precisa ser dito, e deixar o restante queimar.

Eu queimei a diretriz que dizia que maternidade responsável é um martírio. Decidi que o objetivo da maternidade é se tornar um modelo, não uma mártir. Eu deixei de ser a mãe morrendo aos poucos em nome dos filhos e me tornei uma mãe responsável: uma que mostra aos filhos como estar totalmente viva.

Queimei a diretriz que insistia que uma família evita ser partida ao manter sua estrutura através de qualquer meio. Percebi famílias que se mantinham na sua estrutura original que estavam bem quebradas. E notei outras famílias cujas estruturas mudaram e que eram saudáveis e vibrantes. Decidi que a resistência ou a fragilidade de uma família tem pouco a ver com sua estrutura. Uma família partida é uma família na qual qualquer um de seus membros tem que se quebrar para fazer parte dela. Uma família completa é aquela em que cada membro pode trazer seu ser completo sabendo que sempre estará seguro e será livre.

Decidi deixar a forma da minha família se tornar um ecossistema em evolução. Eu deixei de ser a mulher apegada a uma estrutura familiar predeterminada e me tornei uma mulher com o compromisso de defender o direito de cada um dos meus familiares à sua humanidade completa, incluindo eu mesma. Nós romperíamos de novo e de novo a estrutura em vez de deixar que qualquer um de nós vivesse partido.

Parei de comprar a ideia de que um casamento bem-sucedido é aquele que dura até a morte, mesmo que uma ou ambas as pessoas estejam morrendo por causa dele. Decidi que antes de me devotar a outra pessoa, eu faria o seguinte voto a mim mesma: não vou mais me anular. Nunca mais. Eu e eu mesma: juntas até que a morte nos separe. Vamos ignorar todo o resto do mundo para permanecermos inteiras. Eu deixei de ser a mulher que acredita que outra pessoa a completaria quando decidi que nasci completa.

Aboli minha ideia tão amada e confortável de que os Estados Unidos eram um lugar de liberdade e justiça para todos. Deixei uma perspectiva mais verdadeira e mais ampla nascer no seu lugar, uma que incluía a experiência americana de pessoas que não se parecem comigo.

Escrevi para mim mesma uma nova diretriz sobre que significa ter uma fé forte. Para mim, a fé não é um juramento público para um conjunto de crenças externas, mas uma maneira particular de se render ao Saber interior. Parei de acreditar em atravessadores entre mim e Deus. Fui de ter certeza para ter curiosidade, de olhos arregalados e admirada, de punhos cerrados para braços abertos, do raso para as profundezas. Para mim, viver com fé significa permitir queimar tudo que me separa do meu Saber, para que um dia possa dizer: *Eu e a Mãe somos uma só.*

As diretrizes que escrevi para mim mesma não são certas ou erradas, são simplesmente minhas. Estão escritas na areia, para que eu possa revisá-las sempre que sentir, souber ou imaginar uma ideia mais verdadeira e mais bela para mim mesma. Vou revisá-las até dar meu último suspiro.

Sou um ser humano, destinado a estar em um estado de perpétuo transformar. Se estou vivendo corajosamente, minha vida inteira se transformará em um milhão de mortes e renascimentos. Meus objetivo não é permanecer a mesma, mas viver de tal forma que cada dia, ano, momento, relacionamento, conversa e crise seja o material que uso para me transformar em uma versão mais verdadeira e mais bela de mim. O objetivo é renunciar, constantemente, a quem eu era há um minuto de modo a me transformar em quem devo ser no próximo momento. Não vou me prender a uma única ideia, opinião, identidade, história ou relacionamento que me impeça de emergir recriada. Não vou me segurar com força demais a nenhuma margem. Tenho que largar a costa para poder viajar mais e ver mais longe. De novo e de novo e mais uma vez. Até a última morte e o último renascimento. Até lá.

Parte três

Livre

Aflição

Tenho treze anos e bulimia, então passo metade da minha vida escovando a franja e a outra metade comendo em excesso e vomitando. Escovar e vomitar não são uma vida aceitável, então às sextas depois da escola minha mãe me leva para uma terapeuta no centro. Ela fica na recepção e eu entro sozinha, sento em uma poltrona de couro marrom e espero a terapeuta perguntar:

— Como você está hoje, Glennon?

Eu sorrio e respondo:

— Estou bem. E como *você* está hoje?

Ela respira fundo, com o corpo inteiro. Então ficamos em silêncio.

Percebo a foto de uma menininha ruiva na mesa da minha terapeuta gentil e frustrada. Pergunto quem ela é. A terapeuta dá uma olhada, toca o porta-retratos e diz:

— É minha filha. — Quando ela volta o rosto para mim, sua expressão é triste e gentil. — Glennon, você diz que está bem, mas não está. Seu transtorno alimentar pode matar você, você sabe disso. O que você não sabe é que, se recusando a sentir tudo isso, se recusando a se juntar a nós no mundo dos vivos, já está meio morta.

Fico ofendida. Sinto um calor por dentro, um inchaço, uma coisa difícil de conter. Prendo a respiração e prendo tudo.

— Bom, talvez eu esteja *tentando* estar bem. Talvez *tudo que eu faça* é tentar estar bem. Talvez eu tente mais do que qualquer outra pessoa.

— Talvez você devesse parar de tentar estar bem — diz ela. — Talvez a vida não seja estar bem, talvez nunca esteja. Talvez "bem" não seja o objetivo certo. E se você parasse de tentar tanto estar bem e só... vivesse?

— Não sei do que você está falando — respondo.

Eu sei exatamente do que ela está falando. Está falando da Aflição.

Não sei quando descobri a Aflição, mas sei que, aos dez anos, ela já me interrompia constantemente.

Quando minha gata, Co-Co, sobe no sofá comigo, esfrega a cara na minha tão delicadamente, ronrona tão baixinho, eu me sinto tentada a me deixar derreter nela. Mas a Aflição interrompe: *Tome cuidado. Ela não vai viver muito. Você vai ter que enterrá-la em breve.*

Quando minha avó Alice sussurra seu rosário vespertino, eu a espio. Ela é a mestra do universo, ali na sua cadeira de balanço, controlando tudo na Terra, me mantendo em segurança. Bem quando começo a ser embalada pelo balanço e a sentir paz, a Aflição surge e diz: *Olha como a pele das mãos dela é fina e manchada. Está vendo como tremem?*

Quando minha mãe se abaixa para me dar um beijo de boa noite, sinto o cheiro do seu creme facial. Sinto os lençóis macios sob mim e o cobertor quentinho ao meu redor, e inspiro fundo. Mas raramente consigo expirar em paz. A Aflição me paralisa com: *Você sabe como isso vai acabar. Quando ela se for, você não vai sobreviver.*

Não sei se a Aflição está tentando me proteger ou me assustar. Não sei se ela me ama ou me odeia, se é boa ou ruim. Só sei que seu papel é me lembrar constantemente do fato mais essencial da vida, que é: *Isto vai acabar. Não se apegue demais a nada.* Então, quando fico calma demais, confortável demais, próxima demais do amor, a Aflição me lembra. Ela sempre vem em palavras (ela vai morrer) ou em imagens (uma ligação, um velório), e imediatamente meu corpo responde. Eu endureço, prendo a respiração, ajeito a coluna, desvio o olhar, me afasto. Depois disso, estou no controle de novo. A Aflição me mantém preparada, distante, segura. A Aflição me mantém bem, o que é outra palavra para meio morta.

Um ser humano precisa se esforçar muito para permanecer meio morto. Para mim, também é preciso muita comida. Quando descubro o processo de comer compulsivamente e depois vomitar aos dez anos, o vício em comida se transforma em toda uma vida que posso ter sem precisar ter nada a ver com uma vida de verdade. A bulimia me mantém ocupada, distante, distraída. Planejo meu próximo episódio de compulsão o dia inteiro, e quando encontro um lugar escondido para começar a comer, meu frenesi se transforma em uma cachoeira ribombante dentro e fora de mim — barulhenta, barulhenta demais, para ser interrompida. Não há lembranças, não há Aflição, não há nada além da comida. Então, quando estou cheia ao ponto de mais nada, vem a purgação. Outra cachoeira. Mais barulho. Nada além de barulho até eu estar no chão, caída, destruída, cansada demais para sentir ou pensar ou lembrar. Perfeito.

A bulimia é uma coisa íntima. Eu preciso de uma forma de silenciar a Aflição em público também. É para isso que a bebida serve, ela supera a Aflição. Em vez de interromper o amor, ela o bloqueia totalmente. Nenhuma conexão é real, então não há nada de arriscado para a Aflição ter o trabalho de interromper. Com o passar dos anos aprendi que o bônus da bebida é que ela destrói todos os meus relacionamentos antes que eu faça isso. Não dá para perder pessoas que nunca nem encontraram você.

Aos 25 anos, já fui presa várias vezes. Tusso sangue regularmente. Minha família se distanciou de mim pelo seu próprio bem. Não resta nenhum sentimento e não estou nem perto do mundo dos vivos, que é para tolos e masoquistas. Eu não sou tola. Venci a vida em seu próprio jogo. Aprendi a existir sem estar nem um pouco viva, e estou completamente livre — não tenho mais nada a perder. Estou quase morta, mas Deus me livre, estou segura. Na sua cara, Vida.

Então, naquela manhã de maio, eu me vejo encarando um teste positivo de gravidez. Estou surpresa com a gravidez, é claro, mas o que me choca mesmo é minha reação a ela. Sinto desejo profundo de dar à luz e criar essa pessoa.

São pensamentos estranhos e desconcertantes. Fico de pé e encaro meu rosto sujo e inchado no espelho, e penso: *Peraí. Como assim? Você, aí no espelho. Você nem GOSTA de viver. Você nem acha que vale a pena viver você mesma. Então por que está de repente desesperada para dar vida a outra pessoa como se fosse algum tipo de presente?*

A única resposta que tenho é: porque eu já amo esse ser. Quero dar vida a ele porque eu o amo. Então por que não quero uma vida para mim? Quero eu mesma ser alguém que eu amo.

A Aflição surge, feroz. *Perigo! Perigo! Não seja ridícula!* Fica difícil respirar. Mesmo assim, naquele banheiro — suja, enjoada, destruída, dolorida, sôfrega —, ainda quero me tornar mãe. É assim que descubro que existe algo mais profundo, mais verdadeiro e mais poderoso dentro de mim que a Aflição. Porque a coisa mais profunda ganha. A coisa mais profunda é meu desejo de ser mãe. É isso que quero mais do que quero me manter em segurança: quero ser a mãe deste ser.

Decido, bem aqui no chão, ficar sóbria e retornar ao mundo dos vivos. Suspeito que a coragem que reúno para tomar essa decisão vem, em grande parte, do fato de que ainda estou totalmente doida da noite anterior. Fico de pé e saio trôpega do banheiro e volto para a vida.

A vida é exatamente como eu me lembro: uma bela bosta.

Enquanto tento ao mesmo tempo *me tornar* humana e *criar* um humano, também dou aulas para o terceiro ano. Todo dia, quando chega meio-dia, estou tonta por vários motivos: enjoos matinais, enjoos pela abstinência, enjoos por viver sem um plano de fuga diário. Todo dia, ao meio-dia, eu levo minha turma para o recreio pelo caminho mais longo para poder dar uma olhada na sala da minha amiga Josie e ver a placa pendurada sobre a janela, que diz em grandes letras pretas: NÓS SOMOS CAPAZES DE FAZER COISAS DIFÍCEIS.

"Nós somos capazes de fazer coisas difíceis" se torna meu mantra de vida. É minha afirmação de que viver nos termos absurdos da própria vida *é* difícil. Não porque eu sou fraca ou errada ou porque tomei uma decisão errada em algum lugar, mas porque a vida é difícil para os seres humanos, e eu sou um ser humano que finalmente está vivendo direito. "Nós somos capazes de fazer coisas difíceis" insiste que eu consigo e devo permanecer com o que é difícil porque existe algum tipo de recompensa por permanecer. Não sei que recompensa é por enquanto, mas parece verdade que existe uma, e quero descobrir o que é. Sou especialmente reconfortada pelo "nós". Não sei quem o "nós" é, só preciso acreditar que existe um "nós" em algum lugar, seja me ajudando nas minhas coisas difíceis, seja fazendo suas próprias coisas difíceis enquanto eu faço as minhas.

É assim que sobrevivo ao início da sobriedade, que acaba sendo um longo Retorno da Aflição. Eu digo a mim mesma em intervalo de minutos: *Isso é difícil. Nós somos capazes de fazer coisas difíceis.* Então eu vou lá e faço.

Vamos adiantar o filme para dez anos depois. Tenho três filhos, um marido, uma casa e uma grande carreira como escritora. Não só sou um cidadã sóbria e correta, como sou até meio *chique*, pra ser sincera. Estou, em todos os sentidos, sendo bem-sucedida como humana. Em uma noite de autógrafos, um repórter se aproxima do meu pai, aponta para a lista de pessoas esperando para falar comigo e diz:

— O senhor deve estar muito orgulhoso da sua filha.

Meu pai olha para o repórter e responde:

— Para ser sincero, a gente está feliz simplesmente por ela não estar na cadeia.

Estamos todos muito felizes por eu não estar na cadeia.

Um dia pela manhã, estou no meu closet me vestindo quando o telefone toca. Eu atendo, e é minha irmã. Está falando devagar e atentamente porque está entre uma contração e outra. Ela diz:

— Está na hora, mana. O bebê está nascendo. Você pode vir para a Virgínia agora?

Eu respondo:

— Sim. Estou indo! Já, já estou aí!

Então desligo e encaro uma pilha alta de calças jeans na prateleira. Não sei bem o que fazer. Durante a última década eu aprendi a fazer muitas coisas difíceis, mas ainda não sei fazer coisas fáceis, como comprar uma passagem aérea, por exemplo. Minha irmã normalmente faz isso para mim. Eu penso, penso, e decido que talvez seja um momento menos que ideal para ligar de volta e perguntar se ela sabe de alguma promoção de passagem. Penso mais um pouco e começo a me perguntar se a irmã de alguém estaria disposta a me ajudar. Então o telefone toca de novo. Dessa vez é minha mãe. Sua voz é lenta e deliberada também. Ela diz:

— Querida, você precisa vir para Ohio. Está na hora de se despedir da vovó.

Eu não digo nada.

— Querida? Está ouvindo? Está tudo bem? — pergunta ela.

Como você está hoje, Glennon?

Ainda estou no meu closet, encarando minhas calças jeans. É isso que me lembro de pensar primeiro: *Eu tenho muitos jeans.*

Então a Aflição se torna real e bate à minha porta. Minha avó Alice está morrendo. Estou sendo chamada para voar *em direção* à morte.

Como você está hoje, Glennon?

Eu não digo: "Estou bem, mãe." Eu digo:

— Não está tudo bem, mas estou indo. Eu te amo.

Eu desligo, vou até o computador e procuro no Google "como comprar uma passagem de avião". Acidentalmente compro três passagens, mas ainda estou orgulhosa de mim mesma. Volto para o closet e começo a fazer a mala. Estou ao mesmo tempo fazendo a mala e me vendo fazer a mala, e o eu que me vê fazendo a mala diz: *Nossa. Olha só você. Você está mesmo fazendo isso. Você parece tão adulta. Não pare, não pense, só continue se movendo. Nós conseguimos fazer coisas difíceis.*

Surpreendentemente, agora que a Aflição deixou de ser ideia e se transformou em realidade, eu me sinto relativamente firme. Lidar com uma coisa que está acontecendo mesmo é menos paralisante, parece, do que esperar a tal coisa acontecer.

Ligo para a minha irmã e digo que tenho que ir a Ohio primeiro. Ela já sabe. Minha mãe me pega no aeroporto de Cleveland e me leva até a casa de repouso. Falamos baixo e calmamente uma com a outra. Ninguém diz que ela está bem. Chegamos e atravessamos a recepção barulhenta, depois o corredor com cheiro de antisséptico e entramos no quarto quente, escuro e católico da minha vó. Passo pela sua cadeira de rodas elétrica num canto e percebo a fita prateada cobrindo o botão da velocidade mais rápida, que ela perdeu o direito de usar porque disparava pelos corredores e assustava os outros idosos. Eu me sento na cadeira ao lado da cama da minha avó. Toco a estátua de Maria na mesa de cabeceira, depois as contas de vidro azul-escuro do rosário penduradas nas mãos de Maria. Dou uma olhada atrás da mesa e vejo um pequeno calendário pendurado ali, com o tema "padres gatos". O padre de cada mês está com os trajes completos do sacerdócio e um sorriso charmoso. O calendário era para arrecadar fundos para alguma coisa qualquer. Caridade sempre foi importante para a minha avó. Minha mãe está de pé, um pouco distante, nos dando um pouco de tempo e espaço.

Nunca na minha vida senti a Aflição com tanta força quanto naquele momento, com a minha mãe parada atrás de mim, me observando tocar cada pertence da minha avó, sabendo exatamente que lembrança estou tendo a cada toque lento. Sabendo que sua filha está se preparando para dar adeus à sua mãe e que sua mãe está se preparando para dar adeus à sua filha.

Minha avó estende o braço, pousa a mão na minha e me encara profundamente.

É aí que a Aflição se torna poderosa demais para resistir. Estou sem prática. Não endureço. Não prendo a respiração. Não desvio os olhos. Eu só a deixo me dominar.

Primeiro ela me leva ao pensamento de que um dia, daqui a não muito tempo, esses papéis vão mudar. Eu estarei no lugar da minha mãe, vendo minha filha se despedir da minha mãe. Então, não muito depois disso, será minha filha, vendo sua filha se despedir de mim. Eu penso esses pensamentos. Eu vejo essas visões. Eu as sinto também. São difíceis e profundas.

A Aflição continua a me carregar, e agora estou em algum outro lugar. Estou na Aflição. Estou na Grande Única Aflição de amor-dor-beleza--doçura-saudade-adeus e estou aqui com a minha avó e a minha mãe e de repente entendo que estou aqui com todas as outras pessoas também. De alguma forma estou aqui com todos que já viveram e já amaram e já perderam. Entrei no lugar que achei ser a morte, e que acabou que, na verdade, é a própria vida. Entrei nesta Aflição sozinha, mas dentro dela encontrei todo mundo. Ao me render à Aflição da solidão eu descobri a não solidão. Bem ali, dentro da Aflição, com todos que já deram boas-vindas a um bebê ou seguraram a mão de uma avó à beira da morte ou se despediram de um grande amor. Estou aqui, com todas essas pessoas. Aqui é o "Nós" que reconheci na placa de Josie. Dentro da Aflição está o "Nós". Nós somos capazes de fazer coisas difíceis, como estar vivo e amar profundamente e perder tudo, porque fazemos essas coisas difíceis ao lado de todos que já andaram na Terra com seus olhos, braços e coração bem abertos.

A Aflição não é uma falha, ela é nosso ponto de encontro. É o clube dos corajosos. Todos os que amam estão aqui. É onde você entra sozinha para encontrar o mundo. A Aflição é o amor.

A Aflição não estava me avisando: *Isso vai acabar, então vá embora*. Ela estava me dizendo: *Isso vai acabar, então fique*.

Eu fiquei. Segurei as mãos delicadas da minha avó Alice Flaherty. Toquei as alianças de casamento que ela ainda usava 26 anos depois da morte do meu avô.

— Eu amo você, querida — disse ela.

— Também amo você, vó.

— Toma conta da minha bebê por mim.

E pronto. Não falei nada de impressionante. Acontece que muito do adeus é feito com toques em coisas: rosários, mãos, memórias, amor. Dei um beijo na minha avó, senti sua testa macia e quente com meus lábios. Então me levantei e saí do quarto. Minha mãe veio atrás. Ela fechou a porta e ficamos paradas no corredor, abraçadas, tremendo. Tínhamos feito uma grande jornada juntas, ao lugar a que as pessoas corajosas vão, e ela havia nos transformado.

Minha mãe me levou de volta para o aeroporto. Eu entrei em outro avião, para a Virgínia. Meu pai me buscou e nós fomos até a maternidade. Entrei no quarto da minha irmã, que me olhou da cama. Então olhou para o embrulhinho em seus braços, depois de volta para mim. Ela disse:

— Irmã, essa aqui é a sua sobrinha, Alice Flaherty.

Peguei a bebê nos braços e me sentei na cadeira de balanço ao lado da cama da minha irmã. Primeiro toquei nas mãos de Alice Flaherty.

Arroxeadas e macias. Depois notei seus olhos azuis-acinzentados, que encararam os meus. Eles pareciam os olhos de uma mestra do universo. Eles me diziam: *Olá. Aqui estou eu. A vida continua.*

Desde que fiquei sóbria, nunca mais estive bem, nem por um único momento. Me senti exausta, aterrorizada e furiosa. Estive nervosa e sobrecarregada e desanimada e debilitantemente deprimida e ansiosa. Fiquei surpresa, impressionada, animada, tão feliz que parecia a ponto de explodir. Fui lembrada, constantemente, pela Aflição: *Isso vai passar; fique aqui.*

Eu estive viva.

Fantasmas

Nasci um pouco quebrada, com uma dose extra de sensibilidade.
— ALGUM POEMA IDIOTA QUE ESCREVI SOBRE MIM
MESMA NO MEU PRIMEIRO LIVRO DE MEMÓRIAS

Nos meus vinte e poucos anos, eu acreditava que em algum lugar existia a mulher perfeita. Ela acordava linda, sem inchaço, a pele maravilhosa, o cabelo penteado, era supercorajosa, apaixonada, calma e confiante. A vida dela era… fácil. Ela me assombrava como um fantasma. Eu tentava tanto ser como ela.

Aos trinta, eu mandei esse fantasma à merda. Parei de tentar ser a mulher perfeita e decidi "celebrar minhas imperfeições". Adotei uma nova identidade: Humana Fodida! Anunciei para qualquer um que quisesse ouvir: "Eu sou uma bagunça e tenho orgulho disso! Amo essa versão cagada de humanidade que sou! Sou quebrada e maravilhosa!! VSF, Mulher Perfeita!"

O problema era que eu ainda acreditava que existia uma pessoa ideal, e eu não era essa pessoa. O problema era que eu ainda acreditava em fantasmas. Só tinha decidido viver desafiando a perfeição em vez de em busca dela. A rebelião é uma jaula tanto quanto a obediência. As duas coisas significam viver em reação a como alguma outra pessoa vive, em vez de encontrar seu próprio caminho. Liberdade não é ser a favor ou contra um ideal, mas sim criar a própria existência do zero.

Alguns anos atrás, Oprah Winfrey estava me entrevistando sobre meu primeiro livro de memórias. Ela abriu o livro e leu minhas palavras para mim. *Eu nasci um pouco quebrada.* Então ela parou, ergueu os olhos da página e perguntou:

— Você ainda se descreveria dessa maneira, "quebrada"?

Seus olhos brilhavam.

Olhei para ela e respondi:

— Na verdade, não. Não me descreveria assim. É ridículo. Acho que é por esse tipo de coisa que Jesus só escrevia na areia.

Quebrado significa: *não funciona como foi projetado para funcionar.* Um humano quebrado é um que *não funciona como humanos são projetados para funcionar.* Quando penso na minha própria experiência humana, no que pessoas honestas me disseram sobre suas experiências humanas, e as experiências de todos os humanos históricos ou contemporâneos que já estudei, todos nós parecemos funcionar exatamente da mesma maneira:

Nós magoamos pessoas e somos magoadas por pessoas. Nós nos sentimos excluídas, invejosas, que não somos boas o bastante, doentes e cansadas. Temos sonhos não realizados e arrependimentos profundos. Temos certeza de que somos destinadas a mais e que nem merecemos o que temos. Nós nos sentimos extasiadas, depois entorpecidas. Gostaríamos que nossos pais tivessem sido melhores. Gostaríamos de ser melhores para os nossos filhos. Traímos e somos traídas. Mentimos e mentem para nós. Dizemos adeus para animais, lugares, pessoas sem os quais não conseguimos viver. Temos muito medo de morrer. Também temos medo de viver. Nós nos apaixonamos e desapaixonamos, e as pessoas se apaixonaram e se desapaixonaram por nós. Nos perguntamos se o que aconteceu com a gente naquela noite vai significar que nunca mais seremos tocadas sem sentir medo. Vivemos com a raiva borbulhando. Somos suadas, inchadas, oleosas e cheias de gases. Amamos nossos filhos, desejamos ter filhos, não queremos ter filhos. Estamos em guerra com os nossos corpos, nossas mentes, nossas almas. Estamos em guerra uns com os outros. Queríamos ter dito todas essas coisas enquanto eles ainda estavam aqui. Eles ainda estão aqui, e nós continuamos sem dizer essas coisas. Nós sabemos que não vamos fazer isso. Não nos entendemos. Não entendemos por que magoamos as pessoas que amamos. Queremos ser perdoados. Não conseguimos perdoar. Não entendemos Deus. Acreditamos. Absolutamente não acreditamos. Somos solitários. Queremos que nos deixem sozinhos. Queremos pertencer. Queremos ser amados. Queremos ser amadas. Queremos ser amados.

Se essa é a nossa experiência humana compartilhada, de onde tiramos a ideia de que existe alguma outra forma melhor, mais perfeita, não quebrada de ser humano? Onde está o ser humano que funciona "corretamente", contra o qual estamos todos julgando como nos comportamos? Quem é ela? *Cadê* ela? Como é a vida dela, se não assim?

Eu me libertei no momento em que percebi que meu problema não era não ser um humano bom o bastante, mas não ser um *fantasma* bom o bastante. Mas, quando não preciso ser um fantasma, o problema desaparece.

Se você está desconfortável — sentindo uma dor profunda, com raiva, saudades, em uma confusão —, não tem um problema, você tem uma vida. Ser humano não é difícil porque você está fazendo isso errado, é difícil porque está fazendo isso certo. Você nunca vai mudar o fato de que ser humano é difícil, então você precisa transformar sua ideia de que sequer era para ser fácil.

Não vou mais dizer que sou quebrada, falha ou imperfeita. Vou parar de perseguir fantasmas, porque a perseguição me deixou cansada. E porque sou uma mulher que não acredita mais em fantasmas.

Permita-me reescrever minha própria descrição:

Eu tenho 44 anos. Com todos os meus pelos no queixo e dores e contradições, sou perfeita, sou inquebrável. Não existe outra forma.

Nada me assombra.

Sorrisos

Dois anos atrás, eu e minha irmã preenchemos um cheque de presente de Natal aos nossos pais. Para comprarem uma viagem a Paris. Eles ficaram tão emocionados e orgulhosos que emolduraram o cheque, sem descontar, e penduraram na parede da sala. Este ano nós insistimos. Compramos quatro passagens de avião para Paris e decidimos levar nossos pais para a cidade que sempre quiseram visitar. Ficamos em um apartamento minúsculo com vista para a Torre Eiffel. Era minha primeira vez na Europa. Fiquei apaixonada.

Paris é elegante e antiga. Estar lá me fez sentir elegante e jovem. Me ajudou a perdoar os Estados Unidos por nossa arrogância e fúria. Em Paris, cercados por ruínas de antigas casas de banho, guilhotinas e igrejas milenares, os erros e as belezas da humanidade se apresentam como em um mural. Nos Estados Unidos, somos tão jovens. Ainda achamos que somos conquistadores renegados. Ainda tentamos ser os "primeiros" a fazer isso ou aquilo. Dá pra acreditar? Estamos todos competindo pela atenção de nossos pais, e nem temos pais. Isso faz com que a gente seja meio nervoso. Paris não é nervosa. Paris é calma e decidida. Não começa a se assustar à toa e já sabe a letra de todas as canções. Não importava para onde eu olhasse em Paris, encontrava provas de que líderes surgem e se vão, prédios são construídos e caem, revoluções começam e terminam;

nada, não importa o quão grandioso, dura. Paris diz: estamos aqui por tão pouco tempo. Melhor sentarmos um bom tempo, com um bom café, uma boa companhia, pão. Há mais tempo para ser humano aqui, talvez simplesmente porque já houve mais tempo para aprender como fazer isso.

Quando visitamos o Louvre, entramos na sala da *Mona Lisa* e encontramos uma multidão de centenas de pessoas, se empurrando, lutando, tirando selfies ao redor dela.

Fiquei observando de longe, tentando apreciá-la. Realmente não entendi o motivo de tanto alvoroço. Me perguntava se todo mundo brigando para chegar perto entendia alguma coisa ou se só estavam agindo como se entendessem. Uma mulher se aproximou e parou ao meu lado.

— Existe essa teoria sobre o sorriso dela. Quer ouvir?

— Quero, por favor — respondi.

— Mona Lisa e o marido perderam um bebê. Algum tempo depois, o marido contratou Da Vinci para pintar a esposa em comemoração ao nascimento de um novo filho. Mona Lisa se sentou à frente de Leonardo, mas não queria sorrir enquanto posava. Não queria um sorriso aberto. Segundo a história, Da Vinci queria que ela o fizesse, mas ela se recusou. Não queria que a alegria que sentia pelo novo bebê apagasse a dor que sentia por ter perdido o primeiro filho. Nesse meio sorriso está a meia alegria dela. Ou talvez estejam sua alegria inteira e sua tristeza inteira, ao mesmo tempo. Ela tem a expressão de uma mulher que acabou de realizar um sonho, mas que ainda carrega o sonho perdido dentro de si. Ela queria que a vida inteira estivesse presente em seu rosto. Queria que todos se lembrassem, então se recusou a fingir.

Agora o fuzuê fazia sentido. Mona Lisa é a padroeira das mulheres sinceras, decididas e totalmente humanas — mulheres que sentem e que sabem. Ela está dizendo por nós:

Não me diga para sorrir.

Eu não vou ser agradável.

Mesmo presa aqui, em duas dimensões, você verá a verdade.

Você verá a brutalidade e a beleza da minha vida bem no meu rosto.

O mundo nunca vai parar de olhar.

Objetivos

Quando descobri que estava grávida de Chase, parei de beber, de me drogar e de forçar o vômito. Pensei que era minha última chance de me transformar em uma boa pessoa. Eu me casei com o pai de Chase e aprendi a cozinhar e a fazer faxina e a fingir orgasmos. Eu era uma boa esposa. Tive três filhos e coloquei as necessidades deles tão à frente das minhas que esqueci que sequer as tinha. Eu era uma boa mãe. Comecei a ir à igreja e aprendi a temer Deus e não fazer muitas perguntas para as pessoas que diziam representar Deus. Eu era uma boa cristã. Acompanhava as modas com cuidado, pintava o cabelo e pagava para injetarem veneno na minha testa para não parecer cansada demais de todo o esforço necessário para ser boa em ser bela. Comecei a escrever e lançar best-sellers e discursei para audiências lotadas pelo país todo. Uma mulher não pode se dar bem a não ser que também seja boa, então me tornei uma filantropa. Arrecadei dezenas de milhões de dólares para os necessitados e perdi uma década de sono respondendo a estranhos.

Você é uma mulher *boa*, Glennon, diziam.

Eu era. Eu era tão boa. Também era exausta, ansiosa e perdida. Achava que era porque ainda não era boa o bastante; eu só precisava me esforçar um pouco mais.

A infidelidade do meu marido foi um presente com espinhos, porque me forçou a ver que ser uma boa esposa não era o suficiente para salvar meu casamento. Ser uma boa mãe não era o suficiente para evitar que meus filhos sofressem. Ser uma boa salvadora do mundo não era o suficiente para salvar o meu mundo particular.

Ser má quase me matou. Mas ser boa fez o mesmo.

Eu estava falando com uma grande amiga nessa época. Ela disse:

— G, lembra daquela frase ótima do Steinbeck? "E agora que você não precisa mais ser perfeito, pode ser bom."

Mantive essa frase na minha mesa de trabalho por anos. Olhei para ela noite passada e pensei: *Estou cansada de ser boa. Estou muito cansada.*

Vamos mudá-la para:

E agora que não precisamos ser boas, podemos ser livres.

Adam e Keys

Alguns anos atrás, Alicia Keys anunciou ao mundo que não usaria mais maquiagem.

— Não quero mais cobrir nada. Nem meu rosto, nem minha mente, nem minha alma, nem meus pensamentos, sonhos, dificuldades... Nada — disse ela.

É isso, pensei.

Um tempo depois, li uma entrevista com Adam Levine. Ele disse que, enquanto filmavam um show juntos, ele entrou no camarim de Alicia Keys. Ela estava de costas, inclinada para o espelho, passando batom.

Ele sorriu e disse:

— Ei! Achei que você não usava mais maquiagem.

Ela se virou, o encarou com o batom na mão.

E disse:

— Eu faço qualquer merda que eu estiver a fim.

É isso.

Orelhas

Minhas filhas são diferentes. Criei Tish quando ainda estava tentando ser uma boa mãe, mas me sentia cansada. Quando Amma, a caçula, saiu do meu canal vaginal, pedi à enfermeira para dar um iPad a ela e desejei sorte durante a jornada. Uma forma de descrever Amma é *independente*. Outra é: *por si só*. Essa estratégia (evasão?) de criação foi ótima para ela. Ela veste o que quer, diz o que quer e, em geral, faz o que quer. Ela se criou sozinha e é uma invenção gloriosa com a qual está muito satisfeita.

Recentemente estávamos sentados à mesa da cozinha, e Tish mencionou que precisava treinar mais se quisesse ser boa de verdade no futebol. Perguntamos se Amma se sentia assim também. Ela deu uma mordida na pizza e respondeu:

— Nah, eu já sou ótima.

Ela tem *doze anos*. Onze, talvez. Eu tenho três filhos e a idade deles muda todo santo ano. Só sei que estão na fase que vem depois de engatinhar, mas antes da faculdade. Em algum lugar aí pelo meio.

Anos atrás, quando eu estava bem na época em que tentava decidir se queria salvar ou terminar meu casamento, as meninas começaram a implorar para furar as orelhas. Eu fiquei feliz por ter uma distração, então concordei. Levei as duas para o shopping e, quando chegamos ao estúdio,

Amma saiu correndo, pulou na cadeira e anunciou para a surpresa profissional de vinte e poucos anos:

— Vamos nessa.

Quando finalmente a alcancei, a garota se virou para mim e perguntou:

— Você é mãe dela?

— Estou tentando.

— Certo, você quer que eu fure as orelhas dela uma de cada vez ou as duas ao mesmo tempo?

Amma respondeu:

— As duas. Vai! AGORA!

Então estreitou os olhos, trincou os dentes e contraiu todos os músculos do corpo, que nem um mini-Hulk. Enquanto furavam suas orelhas, vi algumas lágrimas se formarem, mas ela as enxugou na hora. Olhei para Amma e pensei: *Ela é incrível. Está a oito anos de receber uma sentença.* Ela pulou da cadeira, tremendo de adrenalina.

As mulheres do quiosque riram e falaram:

— Nossa! Ela é tão corajosa!

Tish estava parada ao meu lado, absorvendo aquilo tudo. Ela me chamou para perto com um gesto. Sussurrou:

— Na verdade, mãe, mudei de ideia. Não quero furar as orelhas hoje.

— Tem certeza? — perguntei.

Ela olhou para os lóbulos de Amma: tomates-cereja inchados.

Amma instigou:

— Vem, Tish! Só se vive uma vez!

— Por que todo mundo fala isso quando vai fazer coisas perigosas? Que tal "Só se vive uma vez, então melhor não morrer cedo"? — Então Tish olhou para mim e completou: — Tenho certeza.

A profissional se virou para Tish e falou:

— Sua vez, querida.

Esperei que Tish falasse.

— Não, obrigada. Não estou pronta hoje.

— Ah, que isso! — insistiu a profissional. — Você consegue! Coragem! Olha como a sua irmãzinha foi corajosa!

Tish olhou para mim, e eu apertei sua mão conforme nos afastávamos. Ela estava um pouco envergonhada, e eu estava muito irritada.

Não acho que coragem signifique o que temos dito que significa.

Dizemos às crianças que significa *ter medo e fazer aquilo mesmo assim*, mas essa é mesmo a definição que queremos que elas levem consigo ao crescerem?

Quando ela tiver dezessete anos, saindo no carro dirigido pelo seu colega adolescente, dizendo que vai ao cinema mas na verdade está indo para uma festa na rua de trás, imagine lhe dizer:

— Tchau, querida! Tenha coragem! Com isso quero dizer: se você estiver em uma situação assustadora e estiver com medo de fazer o que seus amigos estão insistindo para que faça... quero que você ignore esse medo e faça assim mesmo! É só ignorar essa intuição e seguir em frente!

Não. Esse não é o conceito de coragem que quero que meus filhos tenham. Não quero que eles se transformem em pessoas que abrem mão de si mesmos para agradar aos outros.

Coragem não significa ter medo e fazer mesmo assim.

Coragem significa viver de dentro para fora. Coragem significa, em todos os momentos de incerteza, se voltar para dentro, procurando o Saber, e dizer o que você deseja em voz alta.

A coragem, assim como o Saber, é específica, pessoal e está sempre em transformação. Sua coragem não pode ser julgada pelas pessoas ao seu redor. Às vezes ser corajosa exige deixar que os outros pensem que você é covarde. Às vezes ser corajosa significa decepcionar todo mundo, mas não a si mesma. A coragem de Amma muitas vezes é estrondosa e impetuosa. A de Tish muitas vezes é quieta e hesitante. As duas são meninas corajosas, porque as duas são sempre verdadeira consigo mesmas. Não estão divididas entre o que sentem e sabem por dentro e o que fazem e dizem para fora. Seus eus são integrados e íntegros.

Tish mostrou uma coragem imensa naquele dia, porque manter sua integridade exigiu resistir à pressão externa. Ela confiou na própria voz mais do que nas vozes dos outros. Coragem não é perguntar aos outros o que é coragem. Coragem é decidir por você mesma.

Enquanto voltávamos para casa, do shopping, eu falei:

— Tish, eu sei que aquela moça fez você sentir que não era corajosa. As pessoas têm noções diferentes a respeito do que é coragem. Mas você foi corajosa, porque coragem significa fazer o que o seu Saber mandar. A gente não pergunta aos outros o que é ser corajoso, você sente e sabe. O que você sabe pode ser o oposto do que os outros estão dizendo. É preciso uma coragem única para honrar a si mesma quando todos ao redor pressionam você a fazer outra coisa. É mais fácil ceder, e hoje você não cedeu. Você ficou firme no que sentia e sabia. Para mim, essa é a maior coragem. Essa é a verdadeira confiança, uma *lealdade a si mesma*. É com isso que a gente vive no mundo, Tish: confiança. Não importa o que os outros digam que é "ter coragem": é preciso permanecer leal a si mesma.

"Se você continuar vivendo com confiança, todo o resto da sua vida vai acontecer exatamente como deveria. Nem sempre vai ser confortável. Algumas pessoas vão reconhecer essa coragem, outras, não. Algumas vão compreender você e gostar de você, outras não. Mas a forma como os outros respondem à sua confiança não interessa. O que interessa é permanecer leal a si mesma. Assim você sempre vai saber que quem gosta de você, que quem ama você, é quem de fato está ao seu lado. Se você nunca precisar esconder ou agir de algum modo a atraí-las para a sua vida, nunca vai precisar fazer o mesmo para mantê-las."

Ser corajosa é ignorar todos os outros e ser verdadeira consigo.

Esse é o juramento da garota corajosa.

Termos

Conheci Liz em um aeroporto. Palestramos no mesmo evento em algum lugar na Costa Oeste. Voei a noite toda para chegar lá, então me vi em um terminal pequeno, parada fora de um círculo de outros palestrantes esperando para serem buscados e levados até o evento. Odeio como as pessoas ficam paradas em círculos. Adoraria se todos concordássemos em parar em formato de ferradura, com espaços para estranhos sem jeito se aproximarem.

Uma mulher saiu da área das esteiras de bagagem e parou ao meu lado. Eu sorri e continuei quieta, que é minha estratégia para sobreviver a essas situações. Ela sorriu de volta, mas seu sorriso era diferente do meu, que diz: *Olá, eu sou educada, gentil e distante.* Meu sorriso é como um ponto final. Liz sorri devagar e abertamente, como uma interrogação.

— Oi. Meu nome é Liz.

— Eu sei — falei. — Adoro seu trabalho. Meu nome é Glennon.

— Ah, meu Deus! Eu conheço você. Também adoro seu trabalho. De onde você é?

— Eu moro em Naples, na Flórida.

— E como é morar lá?

— Lento. É uma cidade de aposentados. Eu diria que a idade média dos meus vizinhos é de uns oitenta anos. O bom é que a maioria das minhas amigas estão chegando aos quarenta com medo de parecerem velhas, mas eu, não. Eu me sinto ótima. Uma franguinha jovem. Vou para a academia, vejo todos aqueles vovôs e penso: "Na verdade, nem preciso fazer ginástica. Estou incrível." É tudo uma questão de perspectiva, certo? Digo para as minhas amigas: esqueçam o Botox e se mudem para Naples.

— Que maravilha. Como você acabou indo morar lá?

— Tive sequelas neurológicas por conta da doença de Lyme alguns anos atrás. Meu corpo todo parou de funcionar e passei dois anos de cama, tomando cinquenta comprimidos por dia. Fui passar um tempo na casa de uma amiga em Naples e me senti muito melhor lá. Acabei me mudando temporariamente e consegui parar de tomar os remédios, então acabei ficando. Eu sempre soube que queria morar perto da praia. Acho que nós, mulheres, precisamos quase morrer antes de nos darmos a permissão de viver como queremos.

Liz pousou a mão no meu braço e disse:

— Espera. Nossa. Essa última coisa que você falou... sobre ter que quase morrer... Pode repetir?

Minha resposta foi:

— Acho que não. Estou meio nervosa. Não tenho ideia do que acabei de falar.

Ela sorriu e comentou:

— Gostei de você.

— Gostei de você também.

Na noite seguinte, junto com todo mundo na convenção, fui ver a palestra de Liz. Cheguei cedo ao evento e peguei um lugar na frente mas na lateral — perto o suficiente para vê-la bem, mas não tão perto a ponto de ela me ver. Ela estava de pé atrás do pódio, usando uma camisa preta com gola branca alta, e me fez pensar em um padre no púlpito. Quando ela começou a falar, eu me peguei prendendo a respiração. Ela falava com gentileza e autoridade. Um homem na primeira fileira estava conversando com a mulher ao seu lado, então Liz parou no meio de uma frase, se virou para ele e pediu que se calasse. Foi o que ele fez. Algo na forma como ela falava, como se comportava, fazia meu coração bater mais rápido que o normal. Ela parecia certa, firme, livre e relaxada. Ela não estava concordando e não estava se rebelando. Estava criando algo novo. Ela era *original*. Eu queria pedir: "Dá para repetir tudo isso mais uma vez?"

Na noite seguinte, todos os palestrantes participaram de um banquete chique em um hotel de esqui no topo de uma montanha. A neve caía do lado de fora das janelas que iam do chão ao teto, e as pessoas corriam de um lado para o outro lá dentro, tentando entender onde deveriam ficar e quem era importante o suficiente para se falar.

Vi Liz em um canto do outro lado da sala, cercada. Em geral minha política é respeitar as pessoas que admiro deixando-as em paz. Não fiz isso naquela noite. Caminhei até lá e, quando ela me viu, abriu um sorriso como se estivéssemos começando de novo. Eu me aproximei e me juntei aos outros. Todo mundo em volta estava caindo em cima de Liz com perguntas e pedidos como se ela fosse uma máquina de conselhos. Eu quis pisar no pé de todos eles.

Depois de um tempo, a anfitriã do evento chegou e disse para Liz:

— Está na hora de sentarmos para o jantar. Posso levar você até sua cadeira?

Liz apontou para mim e pediu:

— Posso sentar com a minha amiga?

A mulher pareceu nervosa, depois envergonhada.

— Perdão. Prometemos aos investidores que você sentaria com eles.

— Tudo bem — respondeu Liz, parecendo chateada. Ela apertou meu braço e completou: — Vou sentir sua falta.

Durante o jantar pensei em quanto gostava de Liz e como era triste que não pudéssemos mesmo ser amigas. Tentar ser amiga dela seria como fazer um cheque sem fundo de propósito. Eu não sou uma boa amiga. Nunca consegui ou quis me comprometer com a manutenção que as regras de uma amizade ditam. Não consigo lembrar o aniversário de ninguém. Não quero sair para tomar cafés. Não vou fazer o chá de bebê. Não respondo mensagens porque trocar mensagens é um eterno jogo de pingue-pongue. Inevitavelmente eu decepciono amigos, então depois de vezes suficientes, decidi parar de tentar. Não quero viver em dívida constante. Por mim, tudo bem. Tenho uma irmã e filhos e um cachorro. Não dá para se ter tudo.

Algumas semanas depois do evento, Liz me mandou um e-mail dizendo que achava que a gente deveria tentar ser amigas. Ela mandou esse poema:

Eu honro seus deuses,
Eu bebo do seu poço,
Eu trago um coração sem defesas para o nosso encontro.
Eu não tenho objetivos que desejo,
Eu não vou negociar resgates,
Eu não me sujeito a decepções.

Era uma diretriz nova de amizade: que para nós não haveria regras arbitrárias, obrigações ou expectativas. Nós não deveríamos uma a outra nada além de admiração, respeito, amor... e isso já estava posto. Viramos amigas.

Um tempo depois, convidei Liz para vir ficar comigo. Foi logo depois que eu conheci Abby, e eu vivia meus dias atordoada. Estava profundamente apaixonada pela primeira vez na vida e não tinha contado para ninguém além da minha irmã. Eu e Liz ficamos acordadas até tarde naquela noite, conversando sobre tudo que não meu coração desesperado, meu corpo dolorido e minha mente nublada.

Na manhã seguinte, meu despertador tocou às 5h30, o que não importava porque eu não dormia mais. Eu rolei na cama e fui pé ante pé até a cozinha para não acordar Liz. Levei meu café para o quintal e fiquei ali parada. Ainda estava escuro e frio, mas o horizonte tingido de rosa anunciava o chegar do sol. Fiquei de pé ali, encarei o sol e, como fizera todos os dias desde que conhecera Abby, pensei: *Socorro, por favor.*

Naquele momento, eu me lembrei da história de uma mulher que tinha ficado presa no cume nevado de uma montanha. Ela rezou freneticamente, pedindo a Deus que a resgatasse antes que morresse congelada. Ela gritou para os céus:

— Se você existe, Deus, mande ajuda!

Um tempo depois, um helicóptero sobrevoou o cume e estendeu uma escada.

— Não — disse a mulher. — Vá embora! Estou esperando Deus!

Então um guarda florestal passou e perguntou:

— Precisa de ajuda, irmã?

— Não! Vá embora! Estou esperando Deus!

A mulher morreu congelada. Chegou nos portões do Céu — com ódio — e exigiu saber:

— POR QUÊ, DEUS?! Por que o Senhor me deixou morrer?

Deus respondeu:

— Querida. Eu mandei um helicóptero. Eu mandei um guarda florestal. O que diabos você estava esperando?

Eu pensei: *Estou congelando até a morte enquanto a Porra da Liz Gilbert, uma amiga que admiro, confio e amo — que por acaso também é uma professora espiritual mundialmente renomada —, dorme no andar de cima da minha casa. Talvez Liz seja o meu guarda florestal.*

Quando acordou, Liz me encontrou no pé da escada, de pijama, chorando, desesperada e humilhada.

— Preciso de você.

— Tudo bem, queridona — respondeu ela.

Sentamos no meu sofá e eu despejei tudo. Contei como tinha conhecido Abby, como havíamos passado as últimas semanas nos apaixonando cada vez mais por e-mails, como nossas cartas pareciam transfusões de sangue. A cada uma que eu lia e escrevia trazia sangue novo às minhas veias. Contei como tudo aquilo era ridículo e impossível. Era apavorante e emocionante ouvir aquelas palavras saírem da minha boca, como se eu atravessasse um ponto a partir do qual não seria possível voltar. Eu estava esperando que ela ficasse chocada, mas ela não ficou. Seus olhos brilhavam, amorosos e compreensivos, divertidos e sorridentes. Liz parecia aliviada, de certa forma.

— Nunca vai dar certo.

— Talvez não. Talvez Abby seja só uma porta convidando você a deixar para trás o que não é mais verdadeiro o bastante.

— Craig vai ficar destruído — argumentei.

— Não existe libertação de mão única, querida.

— Mas Liz, dá para imaginar a confusão que seria com meus pais, com meus amigos, com a minha carreira?

— Sim, todos que você ama ficariam desconfortáveis, talvez por bastante tempo. Mas o que é melhor: uma verdade desconfortável ou mentiras confortáveis? — perguntou ela. —Toda verdade é uma gentileza, mesmo que deixe os outros desconfortáveis. Cada inverdade é uma violência, mesmo que deixe os outros confortáveis.

— Mas eu mal a conheço.

— Mas você conhece a si mesma.

— E se eu largar tudo por ela e isso nem for real?

Liz olhou para mim e não respondeu nada.

Ficamos sentadas, juntas, em silêncio. Ela segurou minha mão de leve, com amor.

— Eu sou real. O que eu sinto e quero e sei. Tudo isso é real — eu disse.

— Sim — concordou Liz. — Você é real.

É uma bênção conhecer uma mulher livre. Às vezes ela aparece e mostra um espelho. Ela ajuda você a se lembrar de quem realmente é.

Erikas

Recentemente, minha amiga Erika ligou para o meu celular. Nunca vou entender por que as pessoas insistem em ligar para o meu celular. É tão agressivo: *ligar* para alguém. Toda vez que meu celular toca eu tenho um ataque cardíaco, como se meu celular estivesse pegando fogo e uma minissirene estivesse soando.

Eu também gostaria de usar esse momento para falar de mensagens. Mensagens = Melhor Que Ligações. *A não ser que.*

A não ser que você seja uma daquelas pessoas que usa mensagens como notas promissórias. A não ser que você acredite que, quando quiser, pode me cutucar, me dar um alô, se intrometer no meu dia com seus *Oiiiiiii* e sentir que merece tanto uma resposta que, da próxima vez que nos virmos, sua reação será uma expressão magoada ao choramingar: "Ei, está tudo bem com você? É que você nunca me respondeu sobre..." Neste momento, eu tenho 183 mensagens não lidas. Mensagens não mandam em mim, e ninguém que manda mensagem manda em mim. Decidi de uma vez por todas que só porque alguém me manda uma mensagem não significa que sou obrigada a responder. Se eu pensasse diferente, viveria todos os dias ansiosa e aflita, respondendo em vez de criando. Agora que estabelecemos o motivo pelo qual não tenho amigos, voltemos a Erika.

Eu e Erika fizemos faculdade juntas. Ela estudava administração de empresas porque sua mãe era executiva e queria que Erika fizesse o mesmo, mas ela tinha nascido para ser artista. Erika ressentia cada minuto passado nas aulas de administração. É quase impossível criar um caminho próprio quando você é obrigado a seguir os passos de outra pessoa.

Erika voltava para o nosso dormitório a cada dia e se recuperava do tédio das aulas de administração pintando. Ela se formou em administração, se apaixonou por um cara ótimo logo depois da formatura e trabalhou enquanto ele se formava em medicina. Então vieram os bebês e ela pediu demissão para ficar em casa e cuidar deles. Durante todo esse tempo, ela ouvia uma voz enchendo o saco para ela voltar a pintar. Um dia, me contou que tinha chegado a hora, e que planejava honrar aquela espera — honrar a si mesma — e que ia estudar arte. Ouvi fogo e eletricidade na voz de Erika pela primeira vez em uma década.

Em celebração à determinação de Erika, atendi a ligação.

— Ei! Como está o curso?

Ela ficou quieta por um momento, então respondeu:

— Ah, aquilo foi bobagem. Brett está tão ocupado, e as crianças precisam de mim. Começou a parecer egoísta depois de um tempo.

Por que as mulheres acham honrável abrir mão de si mesmas?

Por que decidimos que negar nossos desejos é a coisa responsável a ser feita?

Por que acreditamos que o que nos deixará motivadas e completas vai machucar os outros?

Por que desconfiamos completamente de nós mesmas?

Eis o porquê: porque a nossa cultura foi construída em cima da crença, que a beneficia, do controle sobre as mulheres. O poder que justifica o controle de um grupo condiciona as massas a acreditar que esse grupo não pode ser confiado. Então a campanha de convencimento para que não confiemos nas mulheres começa cedo e chega de todos os lados.

Quando somos meninas, nossas famílias, professoras e colegas insistem que nossas vozes altas, nossas opiniões ousadas e nossos sentimentos intensos são "demais" e pouco femininos, e assim aprendemos a não confiar em nossa personalidade.

As histórias de infância nos prometem que meninas que ousam se desviar do caminho traçado, e que exploram, são atacadas por grandes lobos maus e por armadilhas letais, e assim aprendemos a não confiar em nossa curiosidade.

A indústria da beleza nos convence de que nossas coxas, nosso cabelo frisado, nossa pele, nossas unhas, nossos lábios, nossos cílios, nosso pelo nas pernas e nossas rugas são repulsivas e devem ser cobertas e manipuladas, e assim aprendemos a não confiar nos corpos que habitamos.

A cultura da dieta nos promete que o controle do apetite é a chave para o nosso valor, e assim aprendemos a não confiar em nossa fome.

Políticos insistem que nosso julgamento sobre nossos próprios corpos e futuros não são confiáveis, portanto nossos sistemas reprodutores devem ser controlados por leis feitas por homens que não conhecemos em lugares em que nunca estivemos.

O sistema legal nos prova incessantemente que até mesmo nossas próprias memórias e experiências não são confiáveis. Se vinte mulheres afirmam "foi ele", e ele diz "não fui eu", acreditarão no homem, fazendo com que fiquemos todas as vezes mal faladas e desacreditadas.

E a religião, *meu Deus*. A lição de Adão e Eva — a primeira história formativa que ouvi sobre Deus e uma mulher — foi esta: quando uma mulher quer mais, ela desafia Deus, trai seu parceiro, amaldiçoa a família e destrói o mundo.

Nós não nascemos desconfiando e temendo a nós mesmas. Isso faz parte da nossa adestração. Fomos ensinadas a crer que o que somos em nosso estado natural é ruim e perigoso. Eles nos convenceram a termos medo de nós mesmas. E assim não honramos nossos corpos, nossa curiosidade, nossa fome, nosso julgamento, nossa experiência, nossa ambição. Em vez disso, trancamos nossa verdade a sete chaves. As mulheres que performam melhor esse ato de desaparecimento recebem o mais alto dos elogios: *Ela é tão altruísta.*

Pode imaginar? A epítome da feminilidade significa se perder completamente de si mesma.

Esse é o objetivo final da cultura patriarcal. Porque um método muito eficiente de controle das mulheres é convencer as mulheres a se controlarem.

Eu tentei me controlar por tanto tempo.

Passei trinta anos cobrindo e recebendo injeções no meu rosto com poções e venenos, tentando consertar a minha pele. E então parei. E a minha pele ficou boa.

Durante vinte anos, fiquei colada a um secador de cabelo e uma chapinha tentando domar meus cachos. E então parei. E meu cabelo ficou bom.

Comi compulsivamente e vomitei e fiz dieta durante décadas tentando controlar meu corpo. Quando parei, meu corpo se tornou o que ele estava destinado a se tornar. E também ficou bom.

Eu me anestesiei com comida e álcool tentando controlar minha raiva. Quando parei, aprendi que a minha raiva nunca tinha significado que havia algo de errado comigo. Significava que havia algo errado *lá fora*. Algo que talvez eu tivesse poder de mudar. Parei de tentar ser uma guardiã da paz silenciosa e comecei a ser uma guardiã da paz barulhenta. Minha raiva ficou bem.

Eu tinha sido enganada. A única coisa que havia de errado comigo era a crença de que havia algo errado comigo. Parei de tentar controlar a mim mesma e passei a confiar em mim mesma. Nós apenas controlamos aquilo no qual não confiamos. Podemos nos controlar ou nos amar, mas não podemos fazer ambos. O amor é o contrário de controle. O amor demanda confiança.

Agora, eu me amo. Amor-próprio significa que tenho uma relação comigo mesma baseada em confiança e lealdade. Confio em mim mesma para me cuidar, e assim sou leal à minha voz interior. Abandonarei a expectativa que os outros têm de mim antes de abandonar a mim mesma. Decepcionarei a todos antes de decepcionar a mim mesma. Abrirei mão de todos antes de abrir mão de mim mesma. Eu e eu mesma: *nós duas até que a morte nos separe.*

O que o mundo precisa é de mais mulheres que desistiram de sentir medo de si mesmas e que começaram a confiar em si mesmas.

O que o mundo precisa é de mulheres que estão completamente fora de controle.

Casas de praia

Recentemente escrevi para a minha comunidade: *Faça consigo mesma o que quer que você queira fazer. Pode confiar em si mesma.* Alguém respondeu:

> "Não é irresponsável sugerir que a gente deveria fazer o que quisesse? Normalmente, quando chego em casa de noite, quero beber uma garrafa inteira de Malibu. Tenho quase certeza de que eu não deveria confiar em todos os meus desejos."

Tenho uma amiga que passou décadas enfrentando inúmeros problemas financeiros. Recentemente, ela me contou que faltava *isso aqui* pra ela alugar uma casa de praia cara embora estivesse cheia de dívidas. Ela sabia, no fundo, que não podia confiar nesse desejo, mas queria tanto tirar férias com a família que estava preparada para permitir que o desejo passasse por cima do Saber.

Quando eu perguntei por que ela estava tão desesperada por essa casa, ela olhou para as próprias mãos e respondeu:

— Eu vejo tantas fotos, nas redes sociais, de famílias na praia. Todo mundo relaxando, sem ficar na porcaria dos celulares, só passando o tempo juntos. Minha família está tão desconectada ultimamente. As crianças estão crescendo rápido demais. Eu e Tom quase não conversamos. Sinto que estamos nos perdendo. Quero parar de correr. Quero conversar mais com meus filhos e com meu marido. Quero saber o que está acontecendo na vida deles. Quero me divertir com eles de novo.

Em vez de alugar a casa de praia, minha amiga comprou uma cestinha por dois dólares e colocou no aparador na sala. Ela pediu para o marido e os filhos adolescentes deixarem os celulares na cesta por uma hora durante a noite. A família começou a preparar o jantar e a lavar a louça, todos juntos. No início houve bastante reclamações sobre o novo sistema, mas então vieram as risadas, as conversas e a conexão que ela tanto desejava. A cesta era uma casa de praia de dois dólares.

E aquele desejo diário por uma garrafa de Malibu... não passa de um desejo superficial. Sei disso porque seu Saber não confia nele. Um desejo superficial é algo que entra em conflito com o nosso Saber. Temos que perguntar ao nossos desejos superficiais: *Qual é o desejo por trás desse desejo? É descanso? É paz?*

O desejo profundo é sábio, verdadeiro e belo, algo que você pode fazer por si mesma sem abandonar seu Saber. Segui-lo sempre nos faz voltar à integridade. Se o desejo parece errado para você à primeira vista, vá mais fundo. Confie em si mesma. Você só precisa mergulhar.

Passei a última década da minha vida ouvindo mulheres falarem sobre o que mais desejam. É isso o que as mulheres me dizem que querem:

Quero um minuto para respirar fundo.
Quero descanso, paz, paixão.
Quero comida boa e sexo verdadeiro, selvagem, íntimo.
Quero um relacionamento sem mentiras.
Quero me sentir confortável no meu corpo.
Quero ser vista, ser amada.
Quero alegria e segurança para os meus filhos e para os filhos de todas as mães.
Quero justiça para todos.
Quero ajuda, comunidade, conexão.
Quero ser perdoada e finalmente perdoar.

Quero dinheiro e poder suficientes para não ter mais medo.

Quero encontrar meu propósito aqui e vivê-lo por inteiro.

Quero assistir ao noticiário e ver menos dor, mais alegria.

Quero ver as pessoas na minha vida e vê-las de verdade, amá-las de verdade.

Quero olhar no espelho e verdadeiramente me ver e me amar.

Quero me sentir viva.

O mapa do paraíso está plantado com firmeza dentro dos nossos desejos. O que as mulheres querem é bom. O que as mulheres querem é belo. E o que as mulheres querem é perigoso, mas não para as mulheres. Não para o bem comum. O que as mulheres querem representa uma ameaça à injustiça do *status quo*. Se nos libertássemos:

Relacionamentos desequilibrados se tornariam igualitários.

As crianças teriam comida.

Os governos corruptos cairiam.

As guerras acabariam.

A sociedade seria transformada.

O mundo como o conhecemos ruiria. Talvez seja exatamente isso que precise acontecer para que possamos construir vidas, relacionamentos, famílias e países mais verdadeiros e mais belos.

Talvez Eva não tenha sido um aviso, talvez tenha sido um exemplo.

Aceite seu desejo.

Coma a maçã.

Deixe queimar.

Temperaturas

Certa manhã, liguei para a minha amiga Martha e comecei a listar todos os motivos que eu tinha para não terminar meu casamento. Então comecei a explicar todas as razões pelas quais não podia continuar casada. Eu falava, falava, falava, pesava cada ângulo, argumentando comigo mesma até ficar encurralada, depois recomeçava o ciclo de novo.

Depois de um tempo, ela disse:

— Glennon, para com isso. Você está presa na sua cabeça. As respostas que você precisa agora não estão aí. Estão no seu corpo. Procure nele. Tente mergulhar nele. Agora mesmo, enquanto a gente está no telefone. Você precisa ir mais fundo.

Estava se tornando um tema na minha vida, esse mergulho profundo.

— E aí, chegou? — perguntou ela.

— Acho que sim.

— Beleza, agora pense nas duas opções. Continue dentro de si mesma e sinta. Dizer adeus a Abby faz você sentir um calor?

— Não. Na verdade, me deixa com frio. Congelando. Parece que vou morrer congelada.

— Agora pense em estar com Abby. Qual é a sensação?

— É uma sensação cálida. Aconchegante. Uma sensação de espaço.

— Certo, Glennon. Seu corpo é natureza, e a natureza é pura. Eu sei que é difícil para você aceitar isso depois de passar tanto tempo em guerra com o seu corpo. Você acha que seu corpo é ruim, mas ele é justamente o contrário, ele é sábio. Ele vai dizer coisas que sua mente vai tentar convencê-la do contrário. Seu corpo está dizendo em que direção fica sua vida. Tente confiar nele. Se afaste do frio e siga na direção daquilo que aquece você.

Agora, na iminência de algum perigo, eu acredito no frio e me afasto. Quando sinto alegria, acredito no calor e fico.

Atualmente, durante reuniões de negócios, quando peço a explicação para uma decisão feita por alguém, as mulheres da minha equipe sabem que não quero uma justificativa, um julgamento ou uma opinião. Quero ouvir seu Saber. Então a pessoa diz:

— Fiz essa pesquisa e analisei essas opções por um tempo. Essa opção me fez sentir quentinha por dentro. A outra pareceu fria.

Ou:

— Aquela parceria com eles me gelou a espinha.

E ponto final. Eu confio em mulheres que confiam em si mesmas.

Espelhos

Por muito tempo eu fingi não saber que, embora tenhamos só uma vida, eu estava passando a minha dentro de um casamento solitário.

Quando o Saber ameaçava emergir, eu o empurrava para baixo de novo. Não havia motivo para admitir que eu sabia o que sabia, porque eu nunca faria o que o Saber exigiria que eu fizesse. Eu nunca deixaria o pai dos meus filhos. Só fingiria não saber para sempre. Eu era mãe e tinha responsabilidades.

Na infância aprendemos a ter responsabilidade cuidando de um ovo. Para passar na matéria, tínhamos que devolver o ovo inteiro para a professora no fim da semana. Quem deixava seu ovo em casa, no escuro, a semana inteira, se dava melhor; alguns dos ovos ficavam podres, mas isso não importava, contando que estivessem inteiros.

Cuidei de Tish como se ela fosse um ovo. Eu dizia: "Ela é tão sensível, tão frágil." Eu me preocupava com ela e achava que isso era amor. Eu a protegia e considerava que isso era ser mãe. Se pudesse, teria mantido minha filha em casa, no escuro, para sempre. Nós duas estávamos vivendo em uma história que eu escrevera, e eu era a heroína. Eu nunca permitiria que ela sofresse e seria aprovada no teste de ser mãe.

★ ★ ★

Estou bebendo café na cama de Tish, observando-a se arrumar para a escola. Ela está penteando seus metros de cabelo de Rapunzel.

Eu a vejo olhar para si mesma no espelho e depois para mim. Ela diz:

— Meu cabelo é muito infantil. Posso cortar que nem o seu?

Olho para nós duas no espelho. Bem ali, na minha frente, finalmente vejo que Tish não é um ovo. É uma menina se tornando uma mulher.

Toda vez que ela olha para mim está se vendo também. E está perguntando:

Mãe, como uma mulher usa o cabelo?
Mãe, como uma mulher ama e é amada?
Mãe, como uma mulher vive?

— Faz um rabo de cavalo em mim, mãe? — pede ela.

Eu vou para o banheiro, encontro um elástico, volto e paro atrás dela. Prendi seu cabelo mil vezes antes, mas de repente percebo que Tish está alta demais. Não consigo nem ver o topo de sua cabeça. Ela cresceu uns cinco centímetros da noite para o dia. Quando era bebê, cada dia parecia um ano. Agora, cada manhã representa mais alguns centímetros.

Olho para Tish e penso:

Continuo nesse casamento pela minha garotinha.

Mas será que eu desejaria esse casamento para ela?

Olhos

Quando eu e Craig nos mudamos para Naples, compramos um espelho de prata gigante que encontramos em promoção. Nunca chegamos a pendurá-lo. Só o apoiamos na parede do quarto e torcemos para que parecesse proposital e artístico.

No dia em que minha terapeuta insistiu que meus sentimentos não eram reais, decidi esquecer Abby e continuar casada. Ela era a especialista e tinha razão. Boas mães não partem o coração dos filhos para seguir o próprio.

Sentei no carpete do quarto de pernas cruzadas, encarando meus próprios olhos naquele espelho.

É importante dar uma boa olhada em si mesma de vez em quando. Não do jeito que você se olha quando está se vestindo ou se maquiando. Não do jeito que você observa suas coxas, suas manchas de pele ou seus pelos do queixo. Não assim. Quero dizer que você precisa encarar diretamente os próprios olhos — encarar seu eu verdadeiro. Você precisa se certificar de que não há mentiras ali. Você precisa se certificar de que os olhos no espelho são os olhos de uma mulher que você respeita.

Enquanto eu olhava fundo nos meus olhos, eu e a mulher no espelho fizemos um acordo.

Eu me perguntei: *A decisão de continuar abrindo mão de si mesma é realmente o que seus filhos precisam de você?*

Mães têm se martirizado em nome dos filhos desde que o mundo é mundo. Vivemos como se aquelas que mais se apagam mais amam. Fomos treinadas a provar nosso amor deixando de existir aos poucos.

Que fardo horrível para uma criança — saber que é a razão pela qual a mãe parou de viver. Que fardo horrível para nossas filhas — saber que se escolherem ter filhos, um dia este será seu destino também. Porque, se o martírio é a maior demonstração de amor, será isso que farão. Se sentirão obrigadas a amar como suas mães a amaram, afinal. Acreditarão que só terão permissão de viver tão completamente quanto suas mães tiveram permissão de viver.

Se continuarmos passando o legado do martírio para nossas filhas, com quem isso vai acabar? Que mulher vai poder viver? E quando essa sentença de morte começa? No altar? Na sala de parto? Em que sala de parto — na sua ou na da sua filha? Quando consideramos que o martírio é amor, ensinamos às nossas filhas que, quando o amor começa, a vida terminar. Foi por isso que Jung sugeriu: *Não há fardo maior para uma criança do que a vida não vivida de um pai.*

E se o amor não for o processo de desaparecer para o ente querido, mas *aparecer* para o ente querido? E se a responsabilidade de uma mãe fosse ensinar aos filhos que o amor não a prende, mas a *liberta*? E se uma mãe responsável não for aquela que mostra para suas crianças como morrer lentamente, mas aquela que mostra como viver por completo até o dia de sua morte? E se o chamado da maternidade não for ser uma mártir, mas ser um *exemplo*?

Ali, no chão, olhei profundamente para mim mesma. Deixei o Saber surgir e permanecer.

Meus filhos não precisam que eu os salve.

Meus filhos precisam ver eu salvar a mim mesma.

Eu pararia de usar meus filhos como desculpa para não ser corajosa e começaria a vê-los como minha razão para isso. Eu deixaria o pai deles e clamaria por um amor do tipo amizade-fogo, ou ficaria sozinha. Mas nunca mais ficaria sozinha num relacionamento e fingiria que aquilo era amor. Nunca me contentaria com um relacionamento ou uma vida que fosse menos bela do que aquela que eu desejaria para meus filhos.

Eu me divorciaria de Craig. Porque sou mãe. E tenho responsabilidades.

Eu me levantei do carpete e liguei para Abby. Não nos víamos desde a noite em que nos conhecemos, em Chicago.

— Estou apaixonada por você. Vou me separar de Craig. Vou falar com ele hoje.

— Glennon, meu Deus.... — respondeu ela. — Eu estou tão apaixonada por você. Estou tão feliz, mas com tanto medo por você. Tem certeza de que está pronta para fazer isso? A gente nunca nem se tocou.

— Eu sei. Mas não estou me separando só por sua causa, sabe? — respondi. — Estou me separando porque agora que sei que esse tipo de amor existe, não consigo mais fingir que não existe. Não consigo esquecer o que descobri e não consigo deixar de ser quem sou agora. Então vou me separar, não só porque eu te amo, mas porque amo essa versão de mim. A que despertou quando a gente se conheceu. Ou eu abro mão dele ou abro mão de mim mesma. Vou pedir o divórcio. Agora que sei disso, preciso contar a ele o que sei. Não devo a Craig o resto da minha vida, mas devo honestidade. Vai ser difícil, mas finalmente vai ser o difícil certo.

Naquela tarde, eu me sentei com Craig e falei, com amor, mas sem pedir desculpas, que queria me separar dele.

— Nosso casamento está completo. Fomos os parceiros de cura que tínhamos que ser um para o outro. Nosso casamento foi um grande sucesso, mas agora acabou. Estou apaixonada por Abby. Assim que eu soube, precisei que você soubesse também.

Ele ficou muito quieto e depois de um bom tempo disse:

— Três anos atrás você foi mais compreensiva comigo do que eu merecia. Agora vou fazer o mesmo com você. Quero que você seja feliz.

Mas o pós-separação não foi assim o tempo todo. Os meses que se seguiram foram uma montanha-russa, mas sempre voltávamos para a ideia de: compreensão para você, compreensão para mim.

Quando Craig se sentiu pronto, nós nos sentamos para contar às crianças. Eu já havia magoado muitas pessoas que amo na vida, mas essa foi a pior. Olhei bem no rosto apavorado dos meus bebês e disse:

— O que eu vou dizer vai partir o coração de vocês. Agora só vai doer, mas, com o tempo, isso vai passar e seus corações vão ficar maiores e mais fortes. Às vezes a gente tem que fazer coisas difíceis porque elas são verdade. Seu pai e eu queremos que vocês vivam de forma verdadeira mesmo quando for difícil e doloroso e der medo. Eu vou mostrar como se faz isso.

Eles choraram. A notícia os transformou, bem ali naquele sofá. Eu vi acontecer. Nós nos abraçamos e deixamos muita coisa queimar. Craig falou para eles:

— Vai ficar tudo bem. Abby é uma pessoa legal. Seremos um tipo diferente de família, mas ainda seremos uma linda família.

Craig deu aos nossos filhos permissão para amar Abby e esse foi o maior presente que ele já me deu. Talvez o maior presente que qualquer um já tenha me dado.

Contamos para os parentes.

Contamos para os amigos.

Tudo isso aconteceu em duas semanas.

Quarenta anos, cinco meses e duas semanas.

Jardins

Aprendi a ser desejável muito cedo copiando as mulheres da TV. Aprendi a fazer luzes no cabelo, curvar os cílios, usar jeans que deixavam minha bunda bonita, me manter magra a qualquer custo. Eu sabia como me transformar em uma propaganda de mim mesma, e depois que um garoto me escolhesse, eu sabia o que fazer. Eu sabia que tipo de calcinha deveria usar e como arquear as costas de tal jeito e como fazer os barulhos certos na hora certa. Eu sabia que sons e movimentos o fariam me desejar ainda mais e o fariam pensar que eu o desejava. Sexo era um palco e eu era a atriz.

Eu sabia como ser desejada.

Mas não sabia como desejar.

Eu sabia como ser cobiçada.

Mas não sabia como cobiçar.

Até conhecê-la.

Depois que contei a Craig que nosso casamento tinha acabado, Abby foi para Los Angeles para receber um prêmio, o Icon Award da ESPN em comemoração à sua carreira no futebol e sua aposentadoria. Era um encerramento para ela, mas eu queria estar lá, como um começo. "Eu vou", falei.

Não nos víamos desde a noite em que nos encontramos pela primeira vez. Nunca havíamos estado sozinhas. Nunca tínhamos nos tocado, exceto pelo momento em que eu agarrara seu braço e rapidamente me afastara para impedir a eletricidade que corria entre nós. No último mês, ambas deixamos nossas vidas queimar por uma chance de ficarmos juntas. Para ser mais exata, colocamos fogo nas nossas vidas pela chance de nos tornarmos as mulheres que nascemos para ser.

Na manhã do voo, ainda estava escuro quando acordei e arrumei duas malas: uma para despachar e uma de mão. Na menor, guardei maquiagem, uma chapinha de cabelo, um par de saltos altos e um vestido branco. Dirigi até o aeroporto, suspensa entre uma versão antiga de mim e uma que eu ainda não conhecia. Quando o avião decolou, tentei ler. Depois tentei assistir à TV, mas não conseguia me concentrar em nada. Um pensamento se repetia sem parar na minha mente: *Você vai ficar sozinha com Abby em algumas horas e nunca beijou uma garota.* Eu me lembro de estar especialmente com medo de fazer contato visual. Eu nunca tinha feito contato visual durante um momento íntimo. Uma vez tinha comentado isso com Abby, que ficara chocada e triste. No fim daquela conversa, ela dissera:

— Se um dia a gente chegar a se tocar, por favor, saiba que eu não vou deixar seus olhos se afastarem dos meus.

Eu não sabia se era capaz.

Na metade do voo, peguei a bolsa de debaixo do banco e entrei no banheiro do avião. Tirei a calça e o casaco de moletom, coloquei o vestido e os saltos, passei maquiagem, alisei o cabelo. Quando voltei ao assento, a mulher ao meu lado me encarou e perguntou:

— Se eu entrar naquele banheiro isso também vai acontecer comigo?

Quando o avião pousou no aeroporto de Los Angeles, meu primeiro pensamento foi: *Ah, meu Deus, finalmente estamos na mesma cidade.* Peguei um táxi até o hotel. Quando o carro parou, mandei uma mensagem: "Cheguei." Abby respondeu: "Quarto 1140." Eu guardei o celular. Entrei no elevador, apertei o botão, saí no décimo primeiro andar. Atravessei o corredor e parei na frente do quarto dela. Havia um bilhete grudado na porta dizendo: "Pode entrar."

Respirei fundo, ajeitei o cabelo e fiz uma prece rápida: *Por favor, esteja conosco.*

Bati de leve na porta e então abri.

Abby estava apoiada na mesa do outro lado do quarto, com uma das pernas apoiada em uma cadeira, descalça. Usava uma camiseta cinza, calça jeans e um cordão com plaquinhas militares.

Meu primeiro pensamento: *Aí está ela. Essa é a minha pessoa.*

Mais tarde ela me disse que seu primeiro pensamento ao me ver ali foi: *Aí está ela. Essa é a minha esposa.*

Ela sorriu, mas não foi um sorriso casual. Era um sorriso que dizia: *Aí está você e aqui estamos nós, finalmente.* Ela ficou de pé e caminhou até mim. Deixei a porta se fechar às minhas costas, as malas ainda no corredor. Ela me envolveu em um abraço e derretemos. Minha cabeça em seu peito, o coração atravessando a camiseta e pulsando na minha pele. Ela tremia, eu tremia, e por um longo tempo ficamos ali paradas, respirando o cheiro uma da outra, nos abraçando e tremendo juntas.

Então ela se afastou e me olhou nos olhos. Foi nesse momento que a ligação se fez.

Então

O beijo.

A parede.

A cama.

Vestido branco no chão.

Nua, destemida.

O plano original.

Tanto na Terra como no Céu.

Eu não afastei meus olhos dos dela. Nem uma vez.

Quanto mais tempo passamos juntas, mais nua e destemida eu fico. Agora uso meu cabelo cacheado e bagunçado. Não estou mais atuando. Estou apenas desejando.

Votos

Quinze anos atrás, quando fiquei grávida pela segunda vez, decidi esperar para descobrir o sexo biológico do bebê.

Eu descobri o sexo biológico do meu primeiro filho antes do nascimento, mas agora eu era uma veterana, muito mais madura e disciplinada. No que seria o ultrassom em que descobriríamos, fiquei deitada na maca e olhava do monitorzinho verde para o rosto do técnico. Ambos eram indecifráveis. Quando o técnico de ultrassom saiu e a médica entrou, tive que confiar no que ela dizia — que havia, realmente, um ser humano dentro de mim e que esse ser parecia estar, nas suas palavras, "bem, à primeira vista".

Um ser humano "bem, à primeira vista" era exatamente o que eu queria. Um ser humano "bem, à primeira vista" é o que sempre torço conseguir em toda a minha carreira de mãe.

Com essa notícia — e nada mais —, saí do consultório. Quando cheguei em casa, sentei no sofá da sala, encarei a parede e pensei como eu tinha evoluído, considerando a mãe de primeira viagem controladora e dramática que fui.

Olha só para mim, pensei, *pacientemente deixando o universo acontecer como deve.*

Então peguei o telefone e liguei para o consultório. Quando a recepcionista atendeu, eu falei:

Oi. Aqui é a Glennon. Eu acabei de sair daí.

— Ah, você esqueceu alguma coisa?

— Sim, esqueci de pedir uma informação importante. Vamos dizer, hipoteticamente, que eu tenha mudado de ideia. Será que eu ainda poderia saber o sexo do bebê?

— Um minuto, por favor.

Eu esperei um minuto, por favor. Ela voltou e disse:

— É uma menina. Você vai ter uma menina.

Uma das minhas palavras favoritas é *selah*.

Selah aparece na Bíblia hebraica 74 vezes. Estudiosos acreditam que, quando essa palavra aparece no texto, é uma indicação para o leitor parar de ler e refletir por um momento, porque a ideia anterior é importante o bastante para se aprofundar nela. A poesia na escritura é feita para transformar, e os escribas sabiam que mudanças começam nas leituras, mas só podem ser compreendidas completamente através de contemplação e silêncio. *Selah* também aparece na música hebraica. Acredita-se que seja um sinal para o maestro silenciar o coral por um longo momento, dar espaço entre as notas. O silêncio, é claro, é quando a música é absorvida.

Selah é o silêncio sagrado quando a pessoa que recebe as palavras, músicas e informações transformadoras de recepcionistas de clínica fica parada por tempo o bastante para ser transformada para sempre.

Selah é o nada logo antes do Big Bang de uma mulher explodindo em um novo universo.

Você vai ter uma menina. Meus olhos se arregalaram como a lente de uma câmera se ajustando a uma explosão de luz. Fiquei sentada no sofá, o telefone ainda nas mãos, sem palavras, sem me mover.

— Obrigada — falei enfim à recepcionista. — Obrigada. Eu te amo. Tchau.

Eu desliguei e liguei para a minha irmã.

— Irmã, a gente vai ter uma menina. A gente vai ter uma *menina*.

— Espera — disse ela. — *O quê?* Como você descobriu? Eles disseram sem querer?

— Sim. Depois que eu perguntei sem querer.

— Puta merda. Esse é o melhor dia da nossa vida. Outra de nós. A gente vai ter uma terceira. Uma terceira irmã.

— Eu sei! Pelo amor de Deus, não conta para o Craig que eu liguei para você primeiro.

— Óbvio.

Então ouvi meu filho de três anos, Chase, acordando de um cochilo, gritando seu anúncio de sempre do seu berço: "ESTOU ACORDADO, GWENNON!"

Eu desliguei o telefone, subi as escadas e abri a porta do quarto de Chase. Ele sentou na cama e sorriu. Pela primeira vez eu o vi como o irmão mais velho da minha filha. Ela tem tanta sorte, pensei. Beijei suas bochechas macias, e ele desceu atrás de mim, segurando o corrimão, um passo cuidadoso de cada vez. Eu o embrulhei num casaco grosso, cachecol e chapéu e o levei para dar uma volta ao redor do laguinho da nossa vizinhança. Eu precisava sair. Precisava de mais espaço em volta dessa notícia gigantesca. Eu precisava de céu.

Lembro que eu e Chase estávamos com frio. Lembro que o ar estava fresco e o céu estava claro. Lembro que na metade da volta no lago, quando nossa casinha estava minúscula ao longe, um ganso cruzou o caminho à nossa frente e Chase riu. Lembro que o ganso chegou um pouco perto demais, então peguei Chase e caminhei o restante da volta com ele nos meus braços, as pernas envolvendo minha cintura, meu nariz encaixado no pescoço dele. Tantos anos depois, ainda sinto o cheiro: talco e suor de bebê. Ainda me lembro de pensar: *Estou carregando meus dois filhos. Sozinha. A cabeça do meu filho apoiada no meu ombro, o coração da minha filha batendo no meu corpo. Eu tenho tudo.*

Decidimos batizá-la de Patricia, em homenagem à minha mãe. O apelido seria Tish. Ela teria a mesma pele morena, cabelo preto e traços japoneses que o irmão mais velho herdara do pai. Eu sonhava com ela o dia todo, todos os dias. Mal conseguia esperar que Tish nascesse. Na verdade, quando estava com 38 semanas, entrei na banheira e falei para Craig que não sairia até ele encontrar uma forma de marcar a indução. E assim ele o fez. Alguns dias depois, eu estava segurando minha filha. Quando a enfermeira a colocou nos meus braços, eu sussurrei:

— Oi, anjinho.

Então dei uma boa olhada nela e fiquei surpresa. Ela era cor-de-rosa, pele clara, cabelo claro, olhos claros. Nós duas combinávamos.

Além da aparência, o irmão mais velho de Tish também herdou o temperamento tranquilo e amável do pai. Eu tinha cometido o erro de principiante de atribuir a calma de Chase à minha habilidade parental. Quando meus amigos reclamavam de como era difícil lidar com os filhos, por fora eu concordava, mas pensava: *Idiotas. Qual é a dificuldade?* Aí Tish nasceu, e de repente eu entendi qual era a dificuldade.

Tish nasceu *preocupada*. Recém-nascida, ela chorava constantemente. Já engatinhando, seu humor padrão era *chateada*. Durante os primeiros anos de sua vida, eu passei todos os dias tentando deixá-la feliz. Quando ela completou seis anos, eu já tinha desistido. Todo dia de manhã, eu sentava no chão do lado de fora do quarto dela com um quadro branco escrito: "Bom dia, Tish! Nós vamos ser agradáveis hoje!" Quando ela saía, de cara feia, eu apontava para o quadro e explicava o que "agradável" significa: *aja* como se estivesse feliz. Só finja. Esse é o nosso contrato social com o mundo, cara: AJA COMO SE ESTIVESSE FELIZ. Sofra em silêncio como todo mundo, pelo amor de Deus.

Tish rejeitou essa diretriz. Ela se recusava a fingir. Se recusava a ser agradável. Um dia, Craig chegou do trabalho e me encontrou chorando na porta. Tish estava chorando lá em cima. Eu reclamei para ele:

— Ela é incorrigível. Intolerável. Não consigo lidar com ela. De onde vem todo esse drama?

Craig, com aquele jeito dele, não me respondeu com palavras. Só olhou para mim, sentada no chão, aos prantos, e me deu tempo suficiente para pensar: *Ah. Entendi. Tish sou eu.*

Minha vizinha terapeuta me diz para não forçar essa narrativa limitadora e narcisista à minha filha; ela insiste que crianças não são cópias dos seus pais. Em resposta, eu digo: "Certo. Eu consigo ver sua lógica. Mas também vejo minha filha, moça."

Quando percebi que Tish era eu, lembrei que *fingir felicidade* foi o que quase me matou. Parei de tentar torná-la feliz ou agradável e decidi simplesmente ajudá-la a ser Tish. Ela tem catorze anos agora. Ainda é uma pessoa do avesso. O que ela sente e pensa por dentro o mundo vê e ouve do lado de fora. Quando ela fica chateada, nós partimos do princípio que tem algum motivo justo e válido. Então dizemos:

— Estou vendo que você está chateada. Está pronta para achar uma solução, ou só precisa sentir isso tudo por um tempo?

Em geral ela só precisa se sentir daquele jeito por um tempo, porque Tish também está se tornando. Então não a apressamos mais. Na verdade, quando tentamos nos apressar pela vida, pela dor, pela beleza, Tish nos faz parar e aponta. Ela nos mostra o que precisamos perceber, pensar e sentir para permanecermos humanos. Ela é a pessoa mais gentil, mais sábia e mais honesta que conheço. Não existe ninguém no mundo que eu respeite mais. Tish é a consciência e a profeta da nossa família. É a nossa *selah*.

Quando eu e Craig nos separamos, o mundo de Tish foi destruído. Dia após dia, semana após semana, mês após mês, ela nos manteve próxima da dor que sentia. Quando o restante de nós só queria "seguir em frente", fingir felicidade, Tish nos mantinha honestos. Ela se recusava a fingir. Ela não era agradável. Ela insistia que, quando um mundo é destruído, é hora de parar tudo por um tempo. Ela não nos deixava pular nada, nos fazia sentir tudo. Fazia as perguntas mais difíceis. Chorava até dormir todas as noites por muito tempo. Ela era nossa Joana d'Arc, marchando direto para a batalha, dia após dia.

Para ela, a guerra se dava em duas linhas de frente. A primeira era o divórcio. A segunda era a transformação familiar que mais a abalava: ver eu me apaixonar por outra pessoa. Tish entendia que ela e os irmãos eram os amores da minha vida. Que eu e seu pai éramos parceiros — apaixonados pela família que criamos, mas não um pelo outro. Mas ali, ela assistia à mãe, que até então existira somente para servi-la e adorá-la, se tornar um ser humano completo. Tish perdeu a mãe como a conhecia. Ela assistiu à minha transformação em uma mulher completa e viva. Ela assistiu à minha transformação em uma mulher complicada. As coisas tinham sido simples durante tanto tempo... Quando eu me apaixonei por Abby, Tish sentiu que eu estava me afastando dela.

Uma noite, no meio da batalha, eu estava colocando Tish para dormir. Como ela conhece os próprios sentimentos e sabe como expressá-los claramente, olhou para mim e disse:

— Mamãe, estou com medo de perder você.

Eu me sentei na cama e disse:

— Ah, querida. Você nunca vai me perder. Você nunca vai me perder, bebê.

— Repete — sussurrou ela.

Então eu repeti. E de novo. Nunca mais parei de repetir isso. Três anos depois, esse ainda é nosso ritual noturno.

Luzes apagadas.

— Você nunca vai me perder, bebê.

Isso significa que a última coisa que digo para a minha filha profeta toda santa noite é uma mentira deslavada. Nesta vida incerta, existe somente uma coisa de que eu tenho certeza: algum dia minha garotinha vai me perder.

Eu costumava mentir para Tish o tempo todo. Prometia coisas que temporariamente a impressionariam, aplacariam, protegeriam.

Sim, eu tenho certeza de que existe Céu. Sim, eu acredito em Papai Noel! Não, seus pais nunca, nunca vão se separar. Sim, a vida é justa e existem mocinhos e bandidos. A mamãe sabe o que está fazendo. Tudo acontece por um motivo. Você está segura, querida. Eu vou proteger você.

Isso na época em que eu achava que meu trabalho era proteger Tish, impedir que ela se tornasse corajosa. Na época em que eu pensava que deveria fazer a vida da minha filha ser fácil em vez de permitir que ela descobrisse ser capaz de lidar com as dificuldades. Na época em que eu achava que havia mais mágica no que eu fingia ser real. Na época em que eu achava que uma mãe deveria ser a heroína da filha, em vez de permitir que a filha se tornasse sua própria heroína.

Eu achava que meu papel era proteger Tish da dor, então acabei ensinando que a tragédia estava sempre à espreita. Por estar constantemente protegendo-a, eu ensinei Tish a ter medo. Eu a ensinei a se esconder. Ensinei que ela não era capaz de lidar com o que a vida poderia trazer. *Tenha cuidado, bebê, cuidado, bebê, vem aqui, querida. A mamãe vai proteger você.*

Mas aí, quatro anos atrás, eu mesma fui responsável por trazer o desastre a ela, por jogar essa bomba em seu colo.

Eu parti o coração que recebi para proteger.

Vi Tish sofrer, e depois vi Tish se reerguer.

Mas aprendi que é possível partir o coração de uma criança sem destruí-la. Agora, três anos depois do divórcio, Tish não se esconde mais, não passa mais o tempo todo esperando o perigo atacá-la. O pior aconteceu e ela sobreviveu. É uma menininha que não precisa mais evitar os incêndios da vida porque aprendeu que é à prova de fogo. Só quem atravessa as chamas sabem disso. Essa é a única coisa que preciso que meus filhos saibam sobre si mesmos: nada vai destruí-los. Então não tento mais protegê-los dos incêndios; quero apontar para o fogo e dizer: "Sei que você está sentindo muito medo, mas também sei que você tem muita coragem e que ela é maior que o medo. Nós conseguimos fazer coisas difíceis, bebê. Somos à prova de fogo."

Se eu pudesse fazer tudo de novo, jogaria fora a placa que antes ficava pendurada no quartinho de bebê de Tish, que dizia: "Tudo vai ficar bem." Eu a substituiria pela frase de Buechner: "Este é o mundo. Coisas belas e ruins acontecem. Não tenha medo."

C omo não minto mais para Tish, tenho pensado em formas simples de ajustar minha promessa noturna para ela de forma que se torne verdadeira. É complicado. Por exemplo, eu *poderia* cobri-la, sorrir para ela e dizer: "Vamos apagar as luzes. Você com certeza vai me perder." Mas acho que talvez isso seja demais.

Eis o que decidi. Essa é a promessa e a esperança que tenho para Tish, para mim mesma, para todos nós:

— Boa noite, bebê. Você nunca vai *se* perder.

Árvores de Toque

Estou deitada no sofá, aproveitando meu passatempo favorito: assistir a programas horríveis na TV. Estou sóbria há dezoito anos, e durante esse tempo todos os meus mecanismos analgésicos foram tirados de mim. Não bebo mais, nem uso drogas, não como em excesso nem vomito, não brigo sem parar, não compro compulsivamente (muito). Mas fique sabendo de uma coisa: juro que vão ter que passar por cima do meu cadáver para tirar o Bravo e a HGTV de mim.

Uma situação intrigante está se desenrolando na tela à minha frente. O apresentador do programa é um homem do tipo rústico e que ama natureza. Está sozinho no meio do mato e parece ter feito isso de propósito, então na mesma hora entendo que se trata de um homem muito estranho. Ele logo se perde na floresta. Não sei por que ele não imaginou que isso aconteceria, mas ele parece surpreso, então fico preocupada. Parece não haver resgate à vista. Parece não haver *nada* à vista, com exceção de vários animais e plantas e lama e outras coisas que talvez sejam típicas da floresta. Não tenho como precisar porque nunca entrei em uma floresta, já que florestas não são lugar de gente.

Nosso Sobrevivente não come há dias. Ele também está sem água. Meu superpoder é a empatia, o que significa que muitas vezes não consigo discernir o que está acontecendo comigo e o que está acontecendo com o outro. Então, quando minha esposa entra na sala, ela me encontra embolada debaixo do cobertor, morrendo aos poucos de desnutrição e sede.

Ela ergue as sobrancelhas.

— Você está bem, querida?

— Não sei. Acho que ele vai morrer. Ele está perdido na floresta e está morrendo de fome. Não consigo ver como podemos sair dessa.

Minha mulher diz:

— Ok, amor. Mas lembre-se daquilo que a gente conversou: como os reality shows funcionam. Se você está vendo ele aqui, é porque tem uma equipe de TV lá. O que significa que provavelmente também tem um helicóptero, não? Então, ele deve acabar bem, querida.

Fico grata pelo lembrete. Isso me permite sair do meu cobertor e assistir ao restante do programa colocando alguns limites. Limites são exatamente o que preciso para absorver a lição que o Sobrevivente de Mentira está prestes a me ensinar.

Ele diz que, quando alguém está perdido na floresta, o objetivo principal é ser encontrado. A melhor forma de ser encontrado é permanecer no mesmo lugar. Mas, infelizmente, se você se perde na mata você *não pode* permanecer no mesmo lugar, porque precisa tentar achar comida e suprimentos para sobreviver.

O que estou entendendo é que, para sobreviver, uma pessoa perdida precisa:

1. Ficar no mesmo lugar; e
2. Não ficar no mesmo lugar.

Ops. É por isso que a floresta não é lugar de gente, penso. Continuo ouvindo.

O Sobrevivente de Mentira tem uma solução. Ele explica que a estratégia mais eficiente que uma pessoa perdida pode usar para aumentar suas chances de ser encontrada e ficar bem é:

Ela precisa encontrar sua Árvore de Toque.

Uma Árvore de Toque é uma árvore forte, grande, facilmente reconhecível que se torna a base da pessoa perdida. Ela pode se aventurar na floresta contanto que retorne à sua Árvore de Toque, sempre. Esse retorno perpétuo é o que vai evitar que ela se distancie demais.

Passei grande parte da minha vida perdida em florestas de dor, relacionamentos, religião, carreira, serviço, sucesso, fracasso. Pensando nessas épocas, consigo relacionar a sensação de estar perdida à decisão de transformar algo alheio a mim em minha Árvore de Toque. Uma identidade. Uma crença. Uma instituição. Ideias motivacionais. Um trabalho. Outra pessoa. Uma lista de regras. Aprovação. Uma antiga versão de mim mesma.

Agora, quando me sinto perdida, lembro que não estou na floresta: eu sou minha própria árvore. Então retorno a mim mesma e habito novamente meu corpo. Quando faço isso, sinto meu queixo se erguer e meu corpo se esticar.

Faço uma escavação profunda no solo fértil sob mim, feito de todas as garotas e mulheres que já viveram, de todo rosto que já amei, de cada amor que já perdi, de cada lugar em que já estive se desfazendo e se misturando, de cada conversa, cada livro e cada música que cantei, tudo, tudo, e se decompondo sob mim. Nada é desperdiçado. Meu passado inteiro está aqui, me mantendo de pé e me nutrindo. São coisas que estão fundas demais, invisíveis aos outros, que estão ali só para me dar forças. Então vão subindo e subindo até meus galhos, minha imaginação, altos demais para que qualquer outra pessoa veja — se esticando além, crescendo em direção à luz e ao calor. Então o meio, o tronco, a única parte minha inteiramente visível para mundo. Macia e polposa por dentro, áspera e firme pelo lado de fora, só o suficiente para me proteger e me conter. Exposta e segura.

Sou tão antiga quanto a terra em que estou plantada, e tão jovem quanto minha flor mais recente. Sou minha própria Árvore de Toque: forte, única, viva. Ainda crescendo.

Tenho tudo de que preciso, embaixo de mim, acima de mim, dentro de mim.

Eu nunca vou me perder.

Baldes

Outro dia desses, prestes a cair no sono, ouvi uma batida fraca na porta do quarto.

— Entra — falei.

Tish parou ao meu lado na cama, com os olhos cheios d'água e envergonhada.

— O que houve, querida?

— Estou com medo.

— De quê?

— De tudo. Mas de nada. Não é que tenha nada errado, na verdade. É só que... eu estou sozinha aqui. No meu corpo. Só estou... solitária, sei lá. Eu me esqueço disso durante o dia, quando estou ocupada, mas de noite, na cama, eu lembro. Estou sozinha aqui. Dá muito medo.

Tish deitou na cama comigo, nossa cabeça no mesmo travesseiro, e nos encaramos. Estávamos procurando, tentando nos encontrar uma na outra, tentando permear as fronteiras entre nós. Era algo que fazíamos desde que o médico colocou Tish nos meus braços e eu falei "Oi, anjinho". Desde que me inclinei e tentei respirá-la para dentro dos meus pulmões. Desde que aproximei minha boca da dela e tentei engolir seu hálito doce para torná-lo meu. Desde que meus molares doíam quando eu brincava com seu dedinhos dos pés e eu entendi por que alguns animais comem os filhotes. Eu e Tish tentamos destruir o espaço que seu nascimento criou entre nós desde que nos transformamos de um corpo em dois. Mas nossa separação aumenta a cada passo, cada palavra, cada ano que se vai. Afastando, afastando. *Segure minha mão, querida. Pode entrar. Estou com medo, mamãe.*

Afastei uma mecha de cabelo do rosto dela e sussurrei:

— Também me sinto sozinha aqui dentro. Lembra quando a gente estava na praia hoje, e tinha aquela garotinha entrando no mar, enchendo os baldinhos de plástico de água? Às vezes eu sinto que sou um daqueles baldes de mar, ao lado de outros baldes de mar. Querendo que a gente pudesse se derramar uma na outra, se misturar de alguma forma, para não estarmos tão separadas. Mas sempre temos esses baldes entre a gente.

Tish sempre foi a melhor em entender metáforas. (Aquela coisa que você sente, mas não consegue ver, bebê, é que nem aquela coisa que você consegue ver.) Ela ouviu enquanto eu falava sobre os baldes, e seus olhos cor de mel e profundos se arregalaram. Ela sussurrou de volta:

— É. É tipo isso.

Eu contei que, talvez, ao nascer, nossa água seja despejada da fonte nesses corpos-baldinhos. Quando morremos, somos esvaziados e retornamos àquela grande fonte e uns aos outros. Talvez morrer seja só retornar — deixando esses pequenos recipientes e voltando para nosso lar. Talvez então toda essa dor de separação que sentimos aqui vai desaparecer, porque estaremos misturadas de novo. Nenhuma diferença entre mim e você. Sem baldes, sem pele... tudo mar.

— Mas por enquanto — eu falei —, você é um baldinho de água do mar. É por isso que você se sente tão grande e tão pequena.

Ela sorriu. Dormiu. Eu a observei por um tempo e sussurrei uma prece no seu ouvido: você não é o balde, você é o mar. Mantenha-se fluida, bebê.

Bordo

Certa manhã, no meio do processo do divórcio, liguei para Liz para pedir um conselho sobre maternidade. Ela não tem filhos, mas ainda é sã o suficiente para ter uma boa perspectiva.

— Eu sei, eu sei, eu *sei* que tudo está bem e tudo está certo em um nível mais profundo e tudo o mais. Eu sei de tudo isso. Mas sei lá... Estou preocupada, com medo de ter destruído a cabeça das crianças. Elas estão confusas e assustadas, e pelo amor de Deus, essa é a única coisa que eu jurei que nunca faria com elas.

— Certo, Glennon — disse Liz. — O que eu estou vendo é o seguinte: a sua família está em um avião neste momento. Você é a comissária de bordo e as crianças são passageiros no seu primeiro voo. O avião acabou de entrar numa turbulência séria, e o avião está balançando.

— É — comentei. — Parece que é isso mesmo.

— Certo. O que os passageiros fazem quando há uma turbulência? Eles olham para os comissários de bordo. Se a comissária parece em pânico, os passageiros entram em pânico. Se os comissários ficam calmos e tranquilos, os passageiros se sentem seguros e fazem o mesmo. Glennon, você já voou e viveu o suficiente para saber que, embora a turbulência seja assustadora, ela não vai derrubar o avião. Uma turbulência não é fatal, e o divórcio também não. Nós sobrevivemos a essas coisas. As crianças ainda não sabem disso, então estão com medo. Elas vão continuar olhando para você em busca de orientação. Seu trabalho no momento é sorrir para elas, permanecer calma e *continuar servindo os malditos lanchinhos.*

Então foi isso que falei para mim mesma todos os dias durante o divórcio, e um milhão de vezes desde então: *Continue servindo os malditos lanchinhos, Glennon.*

Falando com uma amiga sobre esse mantra da maternidade, ela disse:

— Ok, turbulências não derrubam aviões. Mas aviões caem às vezes. E se o que está balançando o avião da sua família for *real*? E se a sua família estiver *mesmo* caindo?

Um ano atrás, a amiga de uma amiga descobriu que sua filha adolescente estava com câncer terminal. Um câncer terminal não é uma turbulência, mas a queda que todos tememos. É uma família caindo com total conhecimento de que não vão sair todos vivos.

Essa mulher começou a beber e a se afundar nas drogas. Quando a filha morreu ela estava drogada. As outras duas filhas viram a irmã morrer sem a mãe presente, porque a mãe havia desistido. Eu penso nessa mulher todos os dias. Sinto profunda empatia por ela. E também sinto medo por ela. Temo que um dia ela finalmente pare e sinta, nesse momento de quietude, um arrependimento tão grande que será impossível permanecer nele.

Não controlamos a turbulência ou a tragédia que acontece em nossa família. O roteiro da nossa vida em grande parte está fora do controle. Decidimos apenas a resposta do personagem principal. Nós decidimos se seremos aquela que desiste ou se seremos a que permanece e lidera.

A maternidade é servir os lanchinhos em meio à turbulência. Então, quando os problemas de verdade acontecem — quando a vida traz morte, divórcio, falência, doenças —, a maternidade é olhar para o rostinho dos nossos filhos e saber que estão com tanto medo quanto nós. Maternidade é pensar: *Isso é difícil demais. Não consigo liderar. Mas vou fazer a coisa que não consigo fazer.*

Então sentamos ao lado dos nossos bebês. Nós viramos seus rostos para os nossos até que não estejam mais observando o caos, e sim nossos olhos. Nós seguramos suas mãos. Nós dizemos a eles:

— Olhe para mim. Somos nós dois aqui. Estou do seu lado. Isso é mais real do que qualquer outra coisa lá fora. Nós dois. Vamos segurar as mãos e respirar fundo e nos amar. Mesmo se estivermos em queda livre.

Família é: não importa se estamos caindo ou voando, vamos tomar conta uns dos outros até o fim.

Diretrizes

Toda geração de pais recebe uma lista de diretrizes quando saem do hospital com seu bebê.

A das minhas avós dizia: aqui está o bebê. Leve-o para casa de deixe-o crescer. Deixe-o falar quando falarem com ele. Siga em frente com sua vida.

A da minha mãe dizia: aqui está o bebê. Leve-o para casa e então se reúna todos os dias com as amigas que também têm essas coisas. Beba Coca Diet antes das quatro da tarde e depois umas taças de vinho rosé. Fume e jogue cartas. Tranque as crianças para fora de casa e só as deixe entrar para comer e dormir.

Sortudas do cacete....

A lista da minha geração diz: aqui está o bebê. Este é o momento pelo qual você esperou sua vida inteira, quando o buraco no seu coração será preenchido e você finalmente se tornará completa. Se, depois que eu coloquei o bebê nos seus braços, você sentiu qualquer coisa que não a mais pura realização, procure ajuda psicológica imediatamente. Depois que desligar a ligação com o psicólogo, ligue para um professor particular. Como estamos conversando faz três minutos, sua filha já está atrasada. Você já a inscreveu para as aulas de mandarim? Entendo. Pobrezinha. Preste atenção: ser *mãe*, substantivo, não basta mais... esse tempo passou.

Agora é preciso *maternar*, um verbo, algo que você faz incessantemente. Pense no verbo *maternar* como sinônimo de proteger, amparar, presenciar, afastar, consertar, planejar e obcecar. Maternar vai exigir tudo de você; por favor, materne com corpo, alma e mente. Maternar é sua nova religião, na qual você vai encontrar salvação. Seu filho é sua salvação. Converta-se ou seja condenada. Vamos esperar enquanto você cancela todos os seus outros planos de vida. Obrigada.

Agora o objetivo de uma mãe é: nunca permita que nenhuma dificuldade se apresente ao seu filho.

Para essa finalidade, a criança precisa ganhar todas as competições em que entrar. (Aqui estão quatrocentos troféus de participação, pode distribuir.) Ela deve sentir que todo mundo gosta dela e a ama e quer estar com ela o tempo inteiro. Ela precisa estar constantemente entretida e se divertindo; todos os seus dias na Terra precisam ser tipo a Disney, mas melhor. (Se vocês forem à Disney, compre o passe rápido porque ela não pode ser obrigada a enfrentar filas. Por nada, nunca.) Se outras crianças não quiserem brincar com ela, ligue para os pais, descubra o motivo e insista para que resolvam. Em público, siga na frente da criança e a proteja de qualquer rosto infeliz que possa deixá-la triste, de qualquer rosto feliz que possa lhe deixar achando que está sendo excluída. Quando ela tiver problemas na escola, ligue para a professora e explique aos gritos que sua criança não comete erros. Insista que a professora peça desculpas pelo seu próprio erro. Nunca, nunca deixe que uma gota de chuva sequer caia na cabeça frágil da sua criança. Crie este ser humano sem nunca permitir que sinta uma única emoção humana desconfortável. Dê a ela uma vida sem permitir que a vida aconteça a ela. Em resumo: sua vida acabou, e sua nova existência agora gira em torno de se certificar de que a vida dela nunca comece. Boa sorte.

A gente recebeu diretrizes péssimas.

Nossas diretrizes péssimas são o motivo pelo qual estamos exaustas, neuróticas e culpadas.

Nossas diretrizes péssimas também são o motivo pelo qual nossos filhos são péssimos.

Sim, nossos filhos são péssimos.

Porque pessoas que não são péssimas são as que falham, sacodem a poeira e tentam de novo. Pessoas que não são péssimas são as que foram magoadas, então têm empatia por quem é magoado também. Pessoas que não são péssimas são as que aprendem com os próprios erros, lidando com as consequências. Pessoas que não são péssimas são pessoas que aprenderam a ganhar com humildade e a perder com dignidade.

Nossas diretrizes nos fizeram roubar dos nossos filhos a única coisa que vai permitir que eles se tornem pessoas fortes: lutar.

Essas diretrizes péssimas também são o motivo pelo qual nos ocupamos com coisas triviais enquanto o mundo que nossos filhos herdarão está sendo destruído. Ficamos obcecadas por lanches saudáveis enquanto as crianças fazem treinamento contra atiradores na escola. Agonizamos de preocupação com o vestibular enquanto a Terra derrete ao redor delas. Não acredito que tenha existido uma geração mais maternada e menos protegida.

Nova lista de diretrizes:

Aqui está o bebê.

Ame-o em casa, na hora de ir votar, na rua.

Deixe que tudo aconteça com ele.

Esteja presente.

Poemas

Quando Chase era pequeno, era comum encontrá-lo na mesa da cozinha desenhando mapas-múndi e fazendo listas de todos os países e suas capitais. Ele passava tardes inteiras escrevendo suas próprias músicas, e nós colecionávamos os pequenos poemas que ele deixava pela casa.

Quando ele fez 13 anos, nós compramos um celular para ele, porque ele queria muito um e nós queríamos deixá-lo feliz. Aos poucos, vimos Chase desaparecer. Ele parou de desenhar mapas e de ler e de escrever, e nós paramos de encontrar poemas pela casa. Quando ele estava conosco, eu sentia sua necessidade de estar *lá*, ao invés de *aqui*. Então, mesmo quando ele não estava no telefone, ele não estava presente. Chase só flutuava entre nós. Seus olhos mudaram. Ficaram um pouco mais pesados, menos brilhantes. Eram os olhos mais brilhantes que eu já tinha visto, e então, um dia, não eram mais. No celular, Chase encontrou um lugar mais fácil de existir do que na própria pele.

Foi trágico, porque é dentro do desconforto da nossa própria pele que descobrimos quem somos. Quando estamos entediados, nos perguntamos: o que eu quero fazer? Somos guiados para algumas coisas: papel e caneta, um violão, a mata atrás de casa, uma bola de futebol, uma espátula. O momento depois do momento em que não sabemos o que fazer é quando nos descobrimos. Logo depois daquele tédio incômodo está o autoconhecimento. Mas é preciso ficar ali tempo o suficiente, sem desistir.

Há tanto para nos preocuparmos na relação entre filhos e celulares. Talvez estejamos criando pessoas com uma visão acomodada do sexo, sem conexões reais, com conceitos filtrados do que significa ser humano. Mas eu me vejo especialmente preocupada porque, ao entregar celulares para as crianças, estamos roubando delas o tédio. O resultado é uma geração de escritores que nunca começa a escrever, artistas que nunca começam a desenhar, chefs que nunca fazem bagunça na cozinha, atletas que nunca chutam uma bola, músicos que nunca pegam o violão da tia e começam a dedilhar.

Uma vez estava falando com uma executiva do Vale do Silício que teve um papel importante na criação e na proliferação de celulares. Eu perguntei como os filhos dela ficaram quando ganharam um. Ela riu e respondeu:

— Ah, meus filhos não têm celular.

— Aaaaaah — respondi.

Não vicie seus filhos no seu próprio produto.

Quem inventou celulares são pessoas criativas, e elas querem que seus filhos também se tornem pessoas que criam em vez de apenas consumir. Elas não querem seus filhos procurando por si mesmos lá fora; querem que se descubram dentro de si. Sabem que celulares foram projetados para nos manter viciados a uma vida exterior, e sabem que, se nunca mergulharmos em nós mesmos, nunca nos tornaremos quem temos que ser.

Conversei com Abby e Craig sobre o desaparecimento gradual de Chase mil vezes, mas nunca fazíamos nada sobre isso. Eu sabia, lá no fundo, que Chase estava ficando viciado no celular, e que isso estava atrapalhando seu crescimento e sua paz. Mas eu tinha medo de que, se tirasse seu celular, ele se sentiria excluído e atrasado. Ele seria tão diferente dos amigos. Eu levei mais dois anos para lembrar que o medo de ser diferente é uma razão horrível para um pai evitar fazer o que o filho precisa que seja feito.

Quando Chase estava no primeiro ano do ensino médio, pedi que ele fizesse uma caminhada comigo. Enquanto saíamos do nosso jardim e seguíamos pela calçada, eu me virei para o meu lindo e brilhante menino e falei:

— Eu cometo muitos erros sendo sua mãe. Mas só sei que cometi um erro em retrospecto. Eu nunca tomei uma decisão que sei, no momento atual, que vai ser ruim para você. Até agora. Eu sei que não estou fazendo a coisa certa mantendo o celular na sua vida. Eu sei que, se eu o tirasse de você, você ficaria mais contente de novo. Ficaria presente. Talvez tivesse menos contato com seus colegas, mas faria conexões mais reais com seus amigos. Você provavelmente voltaria a ler, e viveria dentro do seu cérebro maravilhoso e do seu lindo coração, em vez de no mundo virtual. Nós desperdiçaríamos menos do nosso precioso tempo juntos. Eu sei disso. Eu sei o que preciso fazer por você, mas não estou fazendo isso. Acho que é porque todos os seus amigos têm celulares e não quero que você tenha que ser diferente. Sabe, o famoso "Mas todo mundo está fazendo". Mas então eu penso como não é tão estranho assim que todo mundo esteja fazendo algo que depois descobrimos ser viciante e mortal. É tipo fumar; todo mundo estava fazendo isso algumas décadas atrás.

Chase ficou quieto por um momento. Continuamos andando. Então ele falou:

— Eu li um negócio que dizia que os jovens estão ficando mais deprimidos e estressados por causa dos celulares. Também dizia que a gente não consegue conversar tão bem. Eu percebo essas coisas em mim mesmo, às vezes. Também ouvi falar que o Ed Sheeran não usa mais celular.

— Por que você acha que ele fez isso?

— Ele disse que queria criar coisas em vez de olhar as coisas que outras pessoas criavam, e que ele queria ver o mundo pelos próprios olhos, em vez de por uma tela. Acho que eu provavelmente ficaria mais feliz sem celular. Às vezes tenho a sensação de que tenho que ver o que está acontecendo, como se o celular me controlasse. É tipo um emprego que eu não quero nem sou pago pra fazer nem nada. É estressante, às vezes.

— Tá bom — falei.

Chase e Tish resolveram fechar seus perfis nas redes sociais e só usar os celulares para trocar mensagens. Vamos esperar até Amma chegar ao ensino médio antes de comprarmos um celular para ela. Não queremos que ela arrume um emprego assim tão jovem. Queremos dar a ela o presente do tédio, para que ela mesma entenda quem é antes de descobrir o que o mundo deseja que ela seja. Decidimos que nosso trabalho como pais não é mantê-la feliz. Nosso trabalho é mantê-la humana.

Essa não é uma história sobre celulares, é uma história sobre Saber.

Ser uma mãe corajosa é ouvir o Saber — o nosso e o dos nossos filhos. É fazer o que é verdadeiro e belo por aquela criança mesmo que isso pareça remar contra o senso comum. Quando sabemos do que nossos filhos precisam, não devemos fingir não saber.

Meninos

Criei minhas filhas para serem feministas desde que estavam no útero. Eu sabia que o treinamento do mundo começaria no segundo em que elas nascessem, e queria que estivessem prontas. Prontas significava ter uma narrativa interna sobre o que significa ser uma mulher, uma que pudessem comparar com a narrativa do mundo. Eu não tive alternativa quando criança, então quando o mundo me disse que uma menina de verdade é pequena, quieta, bonita, obsequiosa e agradável, eu acreditei que essa era a Verdade. Eu absorvi essas mentiras e elas me deixaram muito doente. Crianças são ensinadas, pelos adultos de suas vidas, a ver jaulas e resistir a elas, ou são treinadas, pela nossa cultura, a se curvar. Meninas nascidas em uma sociedade patriarcal se tornam sagazes ou doentes. É uma coisa ou outra.

Eu queria que as minhas filhas soubessem o seguinte: você é um ser humano e é direito seu permanecer uma humana completa. Então você pode ser tudo: bagunceira, calma, corajosa, esperta cuidadosa, impulsiva, criativa, animada, grande, irritada, curiosa, faminta, ambiciosa. Você tem direito a ocupar espaço neste mundo com seus sentimentos, suas ideias, seu corpo. Você não precisa se diminuir. Você não precisa esconder nenhuma parte de si, jamais.

É uma batalha vitalícia para uma mulher permanecer completa e livre em um mundo determinado a enjaulá-la. Eu queria dar às minhas meninas o que quer que precisassem para lutar por sua humanidade completa. A verdade é única arma que pode vencer as mentiras convincentes que o mundo contará a elas.

Então à noite eu colocava fones de ouvido na minha barrigona redonda e tocava audiolivros sobre mulheres corajosas e complicadas. Depois que elas nasceram, eu embalava minhas filhas com histórias sobre mulheres que escaparam das jaulas de suas culturas para viver livremente e oferecer seus dons para o mundo. À medida que ia crescendo, saíamos para caminhar e eu imaginava as profissões das mulheres por quem passávamos: "Aposto que essa é engenheira, executiva, atleta olímpica!" Quando outra mãe comentava de brincadeira como minha filha era mandona, eu respondia: "Não é ótimo? É uma líder nata." Quando minhas filhas perdiam um jogo e ficavam com raiva, eu dizia: "Tudo bem ficar com raiva." Quando começaram a estudar e a pensar em se diminuir, eu falei: "Continue levantando a mão, querida. Você pode ser corajosa e brilhante, exatamente como é, em qualquer lugar do mundo. Você pode ser autoconfiante e ainda ser uma menina."

Funcionou. Enquanto cresciam, elas voltavam da escola e perguntavam por que quem vencia o jogo de queimada sempre recebia o apelido de "Rei". Perguntavam às professoras por que na Constituição tudo estava no masculino. Elas insistiram em ser transferidas da escola primária cristã porque a professora se recusava a considerar a possibilidade de chamar Deus de Ela. Quando a camisa do time escolar de Tish chegou com as palavras "Futebol Feminino", ela organizou uma revolta, exigindo que o "Feminino" fosse retirado da camiseta das meninas ou que "Masculino" fosse acrescentado na dos meninos. Amma usava ternos na escola, e quando seus colegas diziam que ela era um menino, simplesmente dava de ombros. Quando reclamei sobre ter que desmarcar o horário no cabeleireiro para pintar as raízes, Tish me perguntou: "Por que você está tentando mudar quem você é?"

Cinco anos atrás, eu estava arrumando a cozinha enquanto a TV estava ligada na CNN ao fundo. Eu me aproximei para mudar de canal, mas então percebi um padrão específico e perturbador nas reportagens.

A primeira era sobre diversos políticos, homens e brancos, que foram pegos mentindo e roubando para se manter no poder. A segunda incluía vídeos de um policial surrando brutalmente um adolescente negro desarmado. Depois vieram as seguintes notícias:

Um adolescente de quinze anos entrou na escola atirando e matou três colegas, uma delas uma menina que tinha se recusado a sair com ele.

Membros de um time de lacrosse universitário foram acusados de estupro coletivo.

Um rapaz foi morto em um trote na faculdade.

Um pré-adolescente gay se enforcou por causa do *bullying* que sofria na escola.

Um veterano de 35 anos simplesmente "perdera a batalha contra o transtorno pós-traumático".

Encarei a TV boquiaberta e pensei:

Ah, meu Deus.

É isso que acontece quando os meninos tentam obedecer às ordens da nossa cultura.

Eles também não têm permissão para serem completos.

Meninos estão enjaulados também.

Meninos que acreditam que homens de verdade são todo-poderosos vão mentir e roubar para se manter no poder.

Meninos que acreditam que meninas existem para validá-los consideram a rejeição de uma mulher uma afronta pessoal à sua masculinidade.

Meninos que acreditam que conexões livres e vulneráveis entre homens são vergonhosas vão odiar os gays violentamente.

Meninos que acreditam que homem não chora terão acessos de fúria.

Meninos que aprendem que dor é fraqueza morrem antes de pedir ajuda.

Ser menino nos Estados Unidos é uma armadilha. Treinamos esses garotos para acreditarem que a forma de se tornar homens é objetificar e conquistar mulheres, valorizar dinheiro e riqueza acima de tudo, e suprimir qualquer emoção que não seja competitividade e raiva. Então ficamos chocados quando nossos meninos se tornam exatamente o que os treinamos para ser. Eles não conseguem seguir nossas ordens, mas estão mentindo e morrendo e matando ao tentar. Tudo aquilo que humaniza um menino é uma vergonha para o "homem de verdade".

Nossos homens também estão enjaulados. As partes de si mesmos que precisam esconder para caber nessas jaulas são as partes de sua humanidade que nossa cultura identifica como "femininas" — traços como compaixão, ternura, suavidade, quietude, gentileza, humildade, incerteza, empatia, conexão. Dizemos a eles: "Não sejam assim, porque essas são características femininas. Seja tudo menos feminino".

O problema é que essas partes banidas de nossos meninos não são características femininas: são características humanas. Não existe isso de personalidade feminina, porque não existe isso de masculinidade e feminilidade. "Feminilidade" é só uma lista de características humanas que uma cultura coloca em um balde que recebeu o rótulo de "feminino".

A noção de gênero não é natural, mas predeterminada. Quando dizemos "Meninas são carinhosas e meninos são ambiciosos. Meninas são frágeis e meninos são durões. Meninas são emotivas e meninos são estoicos", não estamos declarando fatos, estamos dividindo crenças — e essas crenças se tornam obrigações. Se essas frases parecem verdadeiras, é porque todo mundo foi programado assim. Qualidades humanas não têm gênero. O que *tem* gênero é a permissão para expressar certos traços. Por quê? Por que nossa cultura determinaria papéis de gênero tão estreitos? E por que seria tão importante para a nossa cultura rotular toda gentileza e compaixão como *feminina*?

Porque é proibindo a expressão dessas qualidades que o status quo mantém seu poder. Em uma cultura tão desequilibrada como a nossa — em que alguns poucos acumulam bilhões enquanto outras pessoas morrem de fome, em que guerras são criadas por causa de petróleo, em que crianças são mortas a tiros enquanto fabricantes de armas e políticos ganham seu dinheiro manchado de sangue — compaixão, humanidade e vulnerabilidade não podem ser toleradas. Compaixão e empatia são grandes ameaças para uma sociedade injusta.

Então como o poder reprime a expressão desses traços? Em uma cultura misógina, basta rotulá-los como femininos. Poderemos para sempre usá-los para diminuir as mulheres e envergonhar os homens. Ta-da! Não precisamos mais lidar com a gentileza, essa coisa confusa e com enorme poder de transformar. Podemos seguir em frente com uma humanidade que não desafia em nada o status quo.

Fiquei parada ali, encarando a TV. Pensei em como eu tinha preparado minhas meninas desde o primeiro dia para lutar pela sua humanidade. Pensei:

Merda.

Eu também tenho um filho.

Não me lembro de ninar meu filho com histórias sobre homens gentis. Não me lembro de apontar para homens que passavam dizendo: "Aposto que ele é um poeta, um professor, um ótimo pai." Quando um adulto mencionava como meu filho era sensível, não me lembro de dizer: "Não é ótimo? A gentileza é a sua maior força". Quando ele começou na escola, não me lembro de avisar: "Você pode ser quieto, triste, empático, pequeno, vulnerável, amoroso e gentil, exatamente como é, em qualquer lugar do mundo. Você pode ser inseguro e ainda ser uma menino." Eu não me lembro de dizer a ele: "Meninas não são conquistas. Elas não existem como coadjuvantes na história dos homens. Elas existem por si só."

Quero que meu filho permaneça humano. Quero que permaneça completo. Não quero que adoeça; quero que seja sagaz. Não quero que ele se entregue a jaulas em que vai morrer aos poucos ou morrer tentando escapar. Não quero que se torne outro tijolinho inconsciente que o poder usa para construir fortalezas em torno de si mesmo. Quero que ele saiba a história de verdade: que ele é livre para ser completamente humano, sempre.

Meu filho é um ótimo aluno e atleta. Faz turmas avançadas, fica acordado até tarde estudando, depois acorda cedo para o treino. Até poucos meses atrás, eu usava isso como desculpa para dar uma colher de chá para ele nas tarefas domésticas. Eu arrumava o quarto enquanto ele estava na escola, lavava suas roupas, arrumava a bagunça que ele deixava à noite na sala de estar.

Uma noite, ele pediu para não lavar a louça porque tinha que terminar o dever de casa. Concordei, enquanto eu, Abby e as meninas terminávamos de arrumar tudo. Naquela noite, na cama, Abby virou para mim e disse:

— Querida, eu sei que é por amor, mas você protege o Chase e ele se aproveita disso.

— Que absurdo! — reclamei.

Mas então passei uma hora deitada na cama, encarando o teto com os olhos arregalados.

No dia seguinte liguei a TV e vi um comercial sobre um casal com um filho recém-nascido. A mãe estava deixando o bebê com o pai para voltar ao trabalho pela primeira vez. A câmera seguia o pai pela casa enquanto a Alexa toda hora cantarolava lembretes que a mãe havia programado na noite anterior. "Aula de música às nove! Almoço ao meio-dia, a mamadeira está na geladeira! Você está indo muito bem!" Era para os espectadores acharem aquilo uma gracinha.

Tudo em que eu conseguia pensar era: esse pai acabou de chegar ao planeta Terra? Ele é novo aqui? Por que ele precisa de instruções minuto a minuto para cuidar do próprio filho? Como a mãe desse bebê se preparou para esse dia? Além de se aprontar para voltar ao trabalho, essa mãe passou a noite anterior pensando em cada minuto do dia seguinte do *marido*. Ela previu cada uma das necessidades dele e da criança, então treinou a Alexa para segurar a mão do pai o dia todo para que ele não precisasse pensar por si só em nenhum momento. Mas o pai parecia ser um homem adulto, que amava o filho. Não havia motivo no mundo pelo qual ele não seria igualmente capaz de cuidar do bebê quanto a esposa. Os *dois* eram pais de primeira viagem. Por que só um deles era tão sem noção?

Ah, pensei. *AH.*

No dia seguinte deixei uma lista de tarefas para Chase, mas ele não terminou de cumpri-las. Quando fui confrontá-lo, ele disse:

— Desculpa, mãe, mas eu tenho uma prova de física amanhã.

— Não, *eu quem peço desculpas*, Chase. Tenho passado uma impressão errada para você. Sem querer eu ensinei que se dar bem no mundo é mais importante do que servir à sua família dentro de casa. Ensinei que o lar é onde você gasta o que sobra da sua energia, e que lá fora é onde você deve se esforçar ao máximo. Preciso corrigir isso, então aprenda o seguinte: não estou nem aí para o quanto você é respeitado lá fora se você não estiver respeitando as pessoas dentro da sua casa. Se você não entender isso, qualquer coisa que fizer lá fora pouco vai importar.

Nossos meninos nascem com um imenso potencial para cuidar, amar e servir. Vamos parar de treiná-los para esquecer isso.

Anos atrás, meu ex-marido foi jantar com um amigo que tinha acabado de ser pai. Eles ficaram horas fora, e quando Craig voltou para casa, eu perguntei:

— Me conta! Qual o nome do bebê?

— Hum. Não sei.

— O quê? Tá. Como estão as coisas em casa? Eles estão exaustos? O bebê está dormindo bem? Como está a Kim?

— Eu não perguntei.

— Certo. Como está a mãe dele? O câncer piorou?

— Ele não comentou.

— Espera. Mas do *que* vocês falaram por duas horas?

— Sei lá. Trabalho. Futebol?

Eu me lembro de olhar para Craig e pensar: *Eu não trocaria de lugar com ele nem por todo o dinheiro do mundo.* Eu não teria aguentado os primeiros meses de maternidade sem amigas e suas opiniões sinceras sobre como aquilo é difícil. Deve ser tão solitário ser homem. Deve ser tão difícil carregar sozinho todas as coisas que deveríamos nos ajudar a carregar.

Não quero que meu filho seja treinado para aguentar a solidão. Então quando sou obrigada a levá-lo com os amigos seja lá para onde, desligo o rádio e pergunto:

Qual foi a coisa mais constrangedora que aconteceu com vocês essa semana?

O que vocês mais gostam no Jeff? No Juan? No Chase?

Ei, pessoal: quem vocês acham que é a pessoa mais solitária da turma? Qual é a sensação de ficar escondido dentro do armário durante esses treinamentos contra atiradores?

Pelo retrovisor, vejo os meninos revirando os olhos. Mas logo eles começam a falar, e eu me impressiono ao ver como seus pensamentos, sentimentos e ideias são interessantes.

Eu me lembro de uma vez em que um dos meninos compartilhou uma coisa especialmente vulnerável, e os outros deram risadinhas desconfortáveis. Eu comentei:

— Ei. Só se lembrem de que, quando vocês riem de alguma coisa que alguém falou, isso não tem a ver com quem falou. Tem a ver com vocês. Ele foi corajoso o suficiente para ser sincero, e vocês têm que ser corajosos o suficiente para lidar com isso. A vida é difícil. Amigos precisam ser um porto seguro uns para os outros.

Nossos meninos são tão humanos quanto nossas meninas. Eles precisam de permissão, de oportunidades e de espaços seguros para dividir essa humanidade. Vamos encorajar conversas reais e vulneráveis entre nossos filhos e seus amigos. Vamos falar sobre seus sentimentos, relacionamentos, esperanças e sonhos para que eles não se tornem homens de meia-idade que sentem que só podem falar de esportes, sexo, notícias e do tempo. Vamos ajudar nossos meninos a se tornarem adultos que não precisam levar a vida sozinhos.

Meu amigo Jason me contou que, durante toda a sua infância, ele só chorava no banheiro porque as lágrimas incomodariam o pai e a mãe. "Seja homem", diriam.

Ele me contou que ele e a esposa, Natasha, estavam tentando criar o filho de forma diferente. Queriam que Tyler pudesse expressar todas as suas emoções em segurança, então Jason estava sendo um modelo para o filho, se expressando mais abertamente na frente dele e da esposa. Depois de me contar isso, ele disse:

— Talvez eu esteja imaginando coisas, mas sinto que, quando me mostro vulnerável, Natasha fica desconfortável. Ela diz que quer que eu seja sensível, mas nas duas vezes que chorei na frente dela ou admiti que estava com medo, senti ela se afastar.

Natasha é minha amiga próxima, então a questionei sobre isso. Quando contei o que Jason dissera, ela pareceu surpresa.

— Não acredito que ele percebeu isso... Mas ele tem razão. Eu me sinto estranha quando ele chora. Tenho vergonha de dizer que sinto uma coisa meio parecida com nojo. Mês passado ele admitiu que estava com medo por causa da nossa situação financeira. Eu falei que passaríamos por aquilo juntos, mas por dentro eu me vi pensando: *Seja homem, cara.* SEJA HOMEM? Cruz credo, eu sou feminista, sabe? É um horror. Não faz sentido.

Não é um horror, e faz total sentido. Como as mulheres são igualmente envenenadas pelo conceito de masculinidade da nossa cultura, entramos em pânico quando os homens se aventuram para fora de suas jaulas. Nosso pânico faz com que eles sintam vergonha e voltem direto para lá. Então precisamos decidir se queremos que nossos parceiros, irmãos e filhos sejam fortes e solitários ou livres e acolhidos.

Talvez parte da libertação de uma mulher seja libertar também seu parceiro, seu pai, seu irmão, seu filho. Quando nossos homens e meninos chorarem, não devemos verbalizar nem emanar o discurso de "Não chora, querido". É preciso estar confortável e permitir que os homens de nossa vida possam expressar, gentil e constantemente, suas dores humanas. Desse modo, os acessos de raiva deixarão de ser seu meio de comunicação favorito. Vamos abraçar nossa força de modo que nossos homens possam ser frágeis. Vamos todos — homens, mulheres, e todos entre uma coisa e outra ou além — reivindicar nossa humanidade completa.

Conversas

Quando tinha nove anos, Tish foi comigo à nossa livraria favorita. Quando entramos, ela parou em frente à estante de revistas — uma parede de modelos, cada uma mais loura, mais magra e mais vazia que a anterior. Todas fantasmas e bonecas. Tish observou aquilo.

Como de costume, fiquei tentada a distraí-la, puxá-la, deixar isso para trás. Mas essas mensagens não ficam para trás, porque estão em todo o lugar. Ou deixamos que nossos filhos as compreendam sozinhos, ou mergulhamos nelas com eles.

Abracei Tish e ficamos olhando as capas em silêncio por um momento.

EU: Interessante, não? Que história essas revistas estão contando sobre o que significa ser mulher?

TISH: Acho que mulheres são muito magras. E louras. E bem brancas. E usam muita maquiagem e sapatos altos e pouca roupa.

EU: O que você acha sobre essa história? Vamos dar uma olhada em volta. As mulheres aqui nesta loja contam a mesma história que essas revistas estão vendendo?

Tish olhou em volta. Uma funcionária de cabelos grisalhos estava ajeitando alguns livros perto de nós. Uma mulher latina folheava um livro de memórias na mesa. Uma mulher já no final da gravidez, com o cabelo azul brilhante, tentava controlar um garotinho comendo um biscoito.

TISH: Não. Nem um pouco.

Fomos para casa, e Tish correu para o quarto. Quinze minutos depois, ela abriu a porta e gritou escada abaixo:

— MÃE! COMO É QUE ESCREVE "PETIÇÃO"?

Eu procurei no Google. É uma palavra difícil.

Um tempinho depois, ela desceu para a cozinha com um cartaz. Pigarreou e começou a ler:

AJUDE A SALVAR A HUMANIDADE

Querido mundo, essa é uma petição para mostrar que eu, Tish Melton, acredito firmemente que revistas não deveriam mostrar que a beleza mais importante é a exterior. Isso não é verdade. Eu acho que as revistas deveriam mostrar meninas que são fortes, gentis, corajosas, legais e únicas, e mostrar mulheres com todos os tipos diferentes de cabelo e corpo. TODAS as mulheres deveriam ser tratadas IGUALMENTE.

Eu gostei demais da ideia dela. Não é suficiente que as mulheres tenham um tratamento igualitário ao dos homens; elas precisam de tratamento igualitário entre si.

Não consigo livrar meus filhos de todas as mentiras que vão ouvir sobre o que significa ser um homem ou uma mulher de verdade. Mas posso ensiná-los a serem críticos da cultura, em vez de consumidores cegos dela. Posso treinar meus filhos a detectar essas mentiras e se revoltarem, em vez de as engolirem e adoecerem.

EU DE 12 ANOS: Essa é a verdade sobre as mulheres. Vou copiá-la.

TISH DE 12 ANOS: Essa é uma mentira sobre as mulheres. Vou contestá-la.

★ ★ ★

TISH: Chase quer que eu entre no mesmo clube de que ele fazia parte na escola. Eu não quero.

EU: Então não entra.

TISH: Mas não quero decepcioná-lo.

EU: Escuta só: toda vez que você tiver a opção de decepcionar outra pessoa e decepcionar a si mesma, é seu dever decepcionar a outra pessoa. Seu trabalho, na sua vida inteira, é decepcionar a maior quantidade de pessoas que for necessário para não decepcionar você mesma.

TISH: Até você?

EU: Principalmente eu.

TISH DE 8 ANOS: Keri não gosta de mim.

EU DE 38 ANOS: Por que não? O que houve? O que podemos fazer pra resolver?

TISH DE 12 ANOS: Sarah não gosta de mim.

EU DE 42 ANOS: Tudo bem. É só um fato, não é um problema.

TISH DE 12 ANOS: Verdade.

Florestas

Minha amiga Mimi me falou que estava preocupada, porque seu filho pré-adolescente estava passando horas no quarto, mexendo no celular, de porta trancada.

— Você acha que ele está vendo pornografia? — perguntei.

— Não! — disse Mimi. — Não pode ser. Ele é tão novo!

— Eu li faz pouco tempo que a idade média em que as crianças descobrem a pornografia é onze anos.

— Meu Deus. — Mimi balançou a cabeça. — Eu me sinto mal, espionando ele, sabe? Quer dizer, o celular é dele.

— Nada disso! Você paga a conta. O celular é seu, ele só pega emprestado.

— Tenho medo do que vou encontrar — confessou Mimi.

— Eu sei. Eu também, toda vez — admiti. — Mas e se ele já descobriu a pornografia? E se ele já estiver perdido nesse mundo? Você não quer entrar lá e encontrá-lo?

— Só não tenho ideia do que dizer.

— Olha, eu conheço muitos adultos que sentem que certos tipos de pornografia são libertadores, mas o pornô que os jovens encontram na internet é um veneno misógino. Precisamos explicar isso para eles, para que não achem que sexo tem a ver com violência. Eu só acho que dizer isso tudo, mesmo que seja estranho e sem jeito e assustador, mesmo que eles revirem os olhos, é melhor do que não dizer nada. E se você dissesse: "Olha, sexo é uma parte incrível e interessante de ser humano. É natural ter curiosidade a respeito dele, e quando ficamos curiosos sobre alguma coisa, é natural buscar informação na internet. Mas o problema de usar a internet para aprender sobre sexo é o seguinte: a gente não sabe quem está ensinando. Existem pessoas que pegaram o sexo e tiraram toda a vida dele para embrulhar e vender na internet. Mas isso que eles estão vendendo não é sexo de verdade. Falta conexão, respeito e vulnerabilidade, que é o que torna o sexo sexy.

"Esse tipo de pornografia é vendido por pessoas que são tipo traficantes de drogas. Eles vendem um produto que enche as pessoas de uma onda que parece alegria por um tempinho, mas depois mata toda a alegria de verdade. Com o tempo, as pessoas passam a preferir a onda das drogas à alegria real da vida. Muita gente que começou a ver pornografia muito jovem acaba viciado nessa onda. Com o tempo, elas têm dificuldade de apreciar sexo real com seres humanos reais.

"Tentar aprender sobre sexo baseando-se em pornografia é tipo tentar aprender sobre as montanhas cheirando um daqueles odorizadores para carro vendidos em posto de gasolina. Quando você finalmente chega na montanha de verdade e sente aquele ar puro e selvagem… isso pode deixar a pessoa confusa. Talvez até a faça querer que tivesse o cheiro da versão falsa e industrializada do odorizador de ar.

"Não queremos que você fique longe de pornografia enquanto é novo porque o sexo é uma coisa ruim. Queremos isso porque sexo de verdade, com humanidade e vulnerabilidade e amor, é indescritivelmente bom. Não queremos que esse sexo falso estrague o sexo de verdade para você.

"E se você dissesse algo assim? Não deixe seu garotinho sozinho na mata porque você está assustada demais para ir atrás dele."

Não temos que ter todas as respostas para nossos filhos; só temos que ter coragem suficiente para se embrenhar na mata com eles.

Nós somos capazes de fazer coisas difíceis.

Cream cheese

Certa tarde, eu abri meu e-mail e vi uma mensagem com o assunto: "Mãe, você acordou!"

O e-mail era para me informar que era minha vez de levar o café da manhã para o time do meu filho depois do treino de manhã cedo. Todo dia, um dos pais leva um café completo, com bagels, *cream cheese*, sucos e bananas para a escola. Ela arruma a mesa enquanto as crianças treinam.

Na noite anterior à manhã em que eu tinha que fazer esse trabalho, recebi outro e-mail da mãe de um dos atletas. Ela queria dividir uma preocupação comigo. Ela achava que os outros pais não estavam oferecendo opções suficientes de *cream cheese* para as crianças. Por exemplo, na sexta-feira anterior, só havia dois sabores, e várias crianças não gostavam de nenhum e foram forçadas a comer os bagels sem *cream cheese*. Ela propunha uma solução: "Tem uma loja de bagels perto da escola com cinco sabores diferentes de *cream cheese*. Será que você poderia comprar todos?"

Todos. *Cinco sabores de cream cheese.*

Cinco sabores de *cream cheese* não é como vamos fazer uma criança se sentir amada.

Cinco sabores de *cream cheese* é como vamos tornar uma criança insuportável.

Ainda assim, eu sou uma mãe tipo *cream cheese*. Todos os meus amigos são pais tipo *cream cheese*. Pais tipo *cream cheese* são o resultado de seguirmos a seguinte diretriz: ser bons pais significa *dar aos filhos o melhor de tudo.* Nós somos pais tipo *cream cheese* porque não paramos e nos perguntamos: será que ter o melhor de tudo torna as pessoas melhores?

E se nós editarmos essa diretriz? E se decidirmos que ser um bom pai inclui se esforçar para que todas as crianças tenham o suficiente em vez de que apenas as nossas tenham tudo? E se usarmos nosso amor materno menos como um laser, abrindo buracos em nossos filhos, e mais como o sol, se certificando de que todas as crianças estejam aquecidas?

Bases

Um dia acordei de manhã e li a respeito do que estava acontecendo na fronteira com o México. Crianças pequenas, bebês de quatro meses, estavam sendo tiradas dos braços de pais que procuravam asilo, sendo colocadas em vans e enviadas, sem explicação, para centros de detenção. Procurei na internet a reação dos meus compatriotas, certa de que todos estariam tão chocados e enraivecidos quanto eu. Alguns, sim. Outros não. Várias e várias vezes li: "É triste, mas eles não deveriam ter vindo para cá se não queriam que isso acontecesse."

Privilégio é já nascer tendo vantagens. Privilégio e ignorância é achar que você está ali porque correu mais rápido. Privilégio e maldade é reclamar que quem está morrendo de fome do lado de fora do estádio não está sendo suficientemente paciente.

Desespero é um sentimento físico para mim. Com cada nova imagem de partir o coração e cada resposta insensível, eu sentia a esperança deixar meu corpo. Esperança é energia. Naquela manhã eu fiquei sem ambas. Desliguei o computador e me deitei às três da tarde. Abby me cobriu, me deu um beijo na testa. No corredor, ouvi minha filha perguntar:

— A mamãe está bem?

— Ela vai melhorar — disse Abby. — Está sentindo muitas coisas agora. Ela precisa sentir tudo para poder usar todos os sentimentos. Espera só um pouquinho, tá? Deixa a mamãe dormir. Quando ela levantar, alguma coisa incrível vai acontecer.

E se nós nos permitíssemos sentir tudo? E se decidíssemos que deixar a dor dos outros nos atravessar é uma força, em vez de uma fraqueza? E se parássemos nossas vidas e o mundo por coisas pelas quais vale parar? E se erguêssemos as mãos e perguntássemos: "Podemos ficar aqui um momento? Ainda não estou pronta para correr para o recreio."

Dormi por doze horas e acordei às três da manhã cheia de energia. Quando Abby saiu do quarto, eu já tinha montado um centro de comando na sala de jantar. Assim que ela viu minha cara, a pilha de papéis, e o quadro-branco coberto de telefones e ideias, ela entendeu. Ela olhou para mim e disse:

— Certo, querida. Vamos nessa. Mas, primeiro, café.

Assim que o sol nasceu telefonamos para a equipe Together Rising: minha irmã, Allison e Liz. Uma estava de férias, uma, no meio de um grande projeto no trabalho, uma, cuidando de um parente doente. Elas pararam seus mundos e fizerem seus próprios centros de comando, na casa de praia, no escritório, no quarto de hospital. Começamos como nosso modo habitual de responder a grandes crises humanitárias: entramos em contato com as pessoas que entendiam essa crise mais de perto e que sabiam quais organizações estavam agindo com sabedoria, eficiência e integridade.

A Together Rising existe para transformar nossos corações partidos em ações. Fazemos isso ao servir de ponte entre dois tipos de guerreiros: os guerreiros cotidianos no mundo inteiro que — em suas cozinhas, carros e escritórios — se recusam a fechar os olhos para crises em países distantes e em suas próprias comunidades; e os guerreiros na linha de frente, que devotam suas vidas a curar o mundo e salvar vidas. Com uma doação média de apenas 25 dólares, a Together Rising já fez mais de 22 milhões de dólares atravessarem essa ponte que interliga os corações partidos e a ação.

Na Together Rising, nós não somos os guerreiros — nós os encontramos. É um trabalho crucial, porque muitas vezes as equipes mais eficientes não são as organizações maiores e mais conhecidas para as quais as pessoas tendem a doar. Os grupos mais decididos com os quais trabalhamos eram sempre menores, sem muitos recursos, liderados por mulheres — pessoas que já eram de confiança nas comunidades afetadas e ágeis o suficiente para responder em tempo real. Nosso trabalho é encontrar essas pessoas, perguntar de que elas precisam para continuar sua luta e ouvir com atenção. Depois, as apresentamos para as pessoas de coração partido. Nossos colaboradores fazem doações para que esses guerreiros tenham a ajuda necessária para dar continuidade ao trabalho.

Então escrevemos a história sobre a crueldade ilegal que este governo estava cometendo na fronteira e sobre os guerreiros lutando para impedi-lo. Postamos para a nossa comunidade e outros artistas corajosos ajudaram a divulgar. Em nove horas, levantamos 1 milhão de dólares para reunir essas famílias. Em algumas semanas, 4,6 milhões. Passamos o ano seguinte investindo e trabalhando com outras organizações para cobrar ações do governo e devolver aquelas crianças para os braços de seus pais.

Certa manhã postei um vídeo da minha irmã devolvendo um menino de seis anos chamado Ariel para a família depois de passar dez meses longe deles. O pai de Ariel o trouxera pela fronteira em busca de asilo. Quando chegaram, a polícia da fronteira tirou Ariel dos braços do pai. Ele implorou às autoridades para deportar os dois — ele só queria o filho de volta. Os oficiais se recusaram. Deportaram o pai e mandaram Ariel para a custódia do governo. Esse pai teve que voltar à sua comunidade — à mercê da violência das gangues e extrema pobreza — e dizer à esposa que perdera o filho. Ele e a mãe de Ariel estavam perdendo a esperança de algum dia rever o filho quando uma equipe fundada pela Together Rising os encontrou em Honduras. Um mês depois, a equipe da Together Rising ficou nove horas na fronteira com o México com o pai, a mãe e a irmã de Ariel, até que as autoridades concordassem em seguir a lei e permitissem que a família pedisse asilo político e pudesse buscar Ariel. Uma semana depois de atravessar a fronteira com os pais de Ariel, minha irmã pegou o menino na capital, Washington, e o levou ao aeroporto para reuni-lo com a família. Ariel disse à minha irmã que estava com medo porque não se lembrava de como os pais eram. Quando ela pegou o celular e mostrou uma foto, o menino sorriu de alegria, reconhecimento e alívio. Minutos depois, Ariel saiu correndo para os braços dos pais — colocando fim em dez meses de uma separação excruciante. O vídeo que postei da família no aeroporto era inesquecível: ao mesmo tempo lindo e brutal. Recebemos reações de gratidão e raiva em massa.

Naquela tarde, estava no corredor da escola da minha filha quando outra mãe se aproximou mim e perguntou:

— Podemos conversar?

O tom de voz me deu um nó no estômago.

— Claro — falei.

Quando saímos da escola, ela começou:

— Eu seguia você já faz um tempo, mas parei de seguir hoje.

— Certo. Parece que você tomou a decisão certa para você — respondi, e comecei a me afastar.

Ainda assim, ela insistiu:

— Com todo o respeito, tenho que perguntar: por que você não se importa em proteger os Estados Unidos tanto quanto se importa em proteger imigrantes ilegais? Nós seguimos a lei, e eles deveriam fazer o mesmo. Sabe, eu li que muitos desses pais *sabem* que os filhos podem ser tirados deles. Eles sabem e vêm para cá mesmo assim. Sinto muito, mas eu olho para a minha filha e penso: "Não consigo nem me IMAGINAR fazendo isso. Não consigo IMAGINAR."

Olhei para ela e pensei: *Sério? Você não consegue se imaginar arriscando tudo — não importa o preço — para dar à sua filha uma chance de estar em segurança, de ter esperança e um futuro? Talvez você seja menos corajosa que esses pais.*

As pessoas usam duas entonações diferentes quando dizem as palavras *Não consigo imaginar.*

A primeira é cheia de humildade, assombro, suavidade e gratidão. Há uma quietude nela. Um quê de *A graça de Deus comigo.*

A segunda entonação — a que aquela mulher usou — é diferente. É desdenhosa e crítica. Há um tom de certeza. Um quê de *Bem, eu nunca*. Nós usamos essa entonação como se fosse uma simpatia, um dente de alho em volta do pescoço para nos distanciar de um horror em especial caso seja contagioso. Procuramos um motivo, alguém para culpar, para podermos nos tranquilizar com a ideia de que esse horror nunca poderia e nunca aconteceria conosco. Nossa crítica é uma autoproteção; é uma jaula que construímos em torno de nós mesmos. Esperamos que ela vá manter o perigo do lado de fora, mas só impede que a gentileza e a empatia entrem.

O que percebi, bem ali naquele corredor, é que, quando as pessoas usam a primeira entonação, é porque *já estão* imaginando. Estão usando sua imaginação como uma ponte entre sua experiência vivida e a experiência desconhecida. Estão se imaginando no lugar do outro ser humano, e isso está tornando-as mais gentis porque podem, de alguma forma, através do poder mágico da imaginação, ver e sentir o que o *outro* pode estar vendo e sentindo. Foi aí que percebi que a imaginação não é só a catalisadora da arte, também é a catalisadora de toda a gentileza e conexão. A imaginação é o primeiro passo na ponte da compaixão. É a distância mais curta entre duas pessoas, duas culturas, duas ideologias, duas experiências.

Tem um garotinho na turma de quinto ano da minha filha Amma chamado Tommy. Ele nunca faz o dever de casa, então as crianças nunca ganham a recompensa prometida caso todos façam o dever. Tommy dorme no meio da aula várias vezes, e a professora tem que parar e acordá-lo, o que interrompe a aula e deixa a professora irritada. Amma não compreende Tommy.

Amma entrou em casa depois da escola um dia desses, jogou a mochila no chão e reclamou:

— De novo! Ele esqueceu o dever de novo! A gente nunca vai ter a festa da pizza, nunca! Por que ele não faz o que tem que fazer?

Eu me lembrei, ainda bem, do poder da imaginação.

EU: Isso é muito frustrante.
AMMA: Eu sei!

EU: Querida, por que você acha que o Tommy não faz o dever de casa?

AMMA: Porque é irresponsável.

EU: Certo. Você acha que você é responsável?

AMMA: Sou. Eu sempre faço o dever e nunca durmo na aula. Eu NUNCA faria isso.

EU: Certo. Como foi que você aprendeu a fazer seu dever?

AMMA: Você me ensinou a sempre fazer logo depois da aula. E você sempre me lembra.

EU: Certo. Você imagina que Tommy tenha pais que ficam em casa e sentam com ele e se certificam de que o dever está feito como você tem?

AMMA: Não deve ter.

EU: Além disso, querida, por que acha que Tommy fica tão cansado durante o dia?

AMMA: Ele deve ficar acordado até tarde.

EU: Até que horas você acha que ficaria acordada se a gente não fizesse você ir dormir toda noite?

AMMA: Eu ficaria acordada a noite toda!

EU: E o que você acha que aconteceria no dia seguinte se isso acontecesse?

AMMA: Eu provavelmente cairia no sono toda hora.

EU: Pois é. Talvez você e Tommy não sejam tão diferentes assim. Você é responsável, Amma. Mas você também tem muita sorte.

Amma ainda fica irritada com Tommy, mas com sua imaginação ela consegue permanecer com o coração gentil e aberto. Ela sabe como se imaginar no lugar dele. Não sei ao certo se importa estar correto ou não o que ela imagina. Só sei que ser gentil importa. Ela está aprendendo a usar a imaginação para diminuir o espaço entre sua experiência e a experiência alheia, e essa habilidade vai ajudá-la, a seus relacionamentos e ao mundo. Acho que uma criança que pratica imaginar por que um colega da escola nunca faz o dever pode se tornar um adulto que consegue imaginar por que um pai pode arriscar tudo para cruzar um deserto com o filho nas costas.

Ilhas

Querida Glennon,

Minha filha adolescente acabou de nos ligar do colégio interno e nos contou que é gay. Estamos felizes por ela. Acreditamos em todas as formas de amor. Meu problema é o seguinte: meus pais vão ficar aqui em casa no Natal. Os dois são fundamentalistas e sei que vão passar as festas de fim de ano inteiras tentando envergonhá-la e "convertê-la". Como lidar com isso?

Respeitosamente,

M

Querida M,

Quando eu e Abby nos apaixonamos, mantivemos isso em segredo por um tempo. Então, quando decidimos construir uma vida juntas, começamos a dividir nosso relacionamento com os outros: nossos filhos, nossos pais, nossos amigos, o mundo. As pessoas tinham muitas opiniões sobre nossa notícia. Às vezes essas respostas me deixavam assustada, na defensiva, com raiva, me sentindo exposta.

Uma noite, Abby, que sabe que eu entendo melhor a vida por metáforas, disse o seguinte:

— Glennon, quero que você pense no nosso amor como uma ilha. Na nossa ilha estamos eu, você, as crianças... e o amor de verdade. O tipo de amor sobre o qual se escrevem livros e que as pessoas passam a vida toda tentando encontrar. O Santo Graal. A coisa mais preciosa do mundo. *A coisa. Nós a encontramos.* Ainda é jovem e nova, então vamos protegê-la. Imagine que cercamos nossa ilha com um fosso cheio de jacarés. Não vamos baixar a ponte levadiça nem deixar o medo de ninguém entrar na nossa ilha. Aqui dentro só cabe nós e o nosso amor. Deixe todo o resto do outro lado do fosso, onde não pode nos ferir. Deixe que gritem de medo ou de ódio, dane-se. A gente nem está ouvindo. A música continua tocando. *Só o amor entra, querida.*

Toda vez que algum idiota da internet, algum jornalista ou fundamentalista religioso nos julgava e nos recriminava, eu sorria e imaginava seu rosto, vermelho como um pimentão, gritando do outro lado do fosso, enquanto eu, Abby e as crianças dançamos em nossa ilha. Nada daquilo nos tocava. Mas as coisas ficaram mais complicadas quando minha melhor amiga, minha defensora, minha mãe, apareceu do outro lado do fosso, carregando seus medos nas mãos, pedindo que baixássemos a ponte.

Minha mãe mora na Virgínia, e nós, na Flórida, mas a gente se fala todos os dias. Nossas vidas são totalmente interconectadas. Faz pouco tempo, estávamos conversando antes de dormir, e ela me perguntou sobre meus planos para a manhã seguinte. Mencionei que iria ao cabeleireiro e estava pensando em cortar uma franja. Nós nos despedimos e fomos dormir. No dia seguinte, meu telefone tocou às seis da manhã.

— Desculpa ligar tão cedo, querida, mas passei a noite toda preocupada. Esse negócio de franja, minha filha... Você não se dá bem com franja. Você corta, aí se arrepende, e vira uma situação. Sua vida já é estressante o suficiente. Fiquei preocupada: cortar a franja talvez seja a decisão errada para a sua família, querida.

Se minha decisão de cortar a franja manteve minha mãe acordada a noite toda, você consegue imaginar sua reação à minha decisão de me divorciar do meu marido e me casar com uma mulher. Eu ouvia seu medo em cada pergunta e nos longos silêncios entre seus questionamentos. *Mas e as crianças? O que os coleguinhas vão dizer? O mundo pode ser cruel.* Ela ficou abalada, e isso começou a me abalar. Aquele dia em que ela me disse para não cortar a franja? Eu não cortei. Minha mãe me ama muito, muito mesmo, então sempre confiei que sabia o que era melhor para mim.

Não são as críticas cruéis de pessoas que nos odeiam que nos afastam do nosso Saber; é a preocupação silenciosa de quem nos ama. O medo da minha mãe começou a me afastar do meu Saber. Eu perdi minha paz. Fiquei com raiva e na defensiva. Passei semanas no telefone com ela, me explicando, tentando convencê-la de que eu sabia o que estava fazendo e que tudo ficaria bem. Um dia, eu estava conversando com a minha irmã, ficando nervosa tudo de novo, relembrando a conversa com a minha mãe. Minha irmã me interrompeu e disse:

— Glennon, por que você está tão na defensiva? Isso é para quem tem medo de perder o que tem. Você é uma porra de uma adulta. Você pode fazer o que quiser. Ninguém vai tirar isso de você, nem a mamãe. Isso é seu, Glennon. Abby é sua.

Nós desligamos e eu pensei; *Minha mãe me ama. E ela discorda de mim sobre o que é melhor para a minha vida. Vou ter que decidir em quem confio mais: na minha mãe ou em mim mesma.* Pela primeira vez na minha vida, eu decidi confiar em mim mesma — mesmo que isso significasse fazer o contrário do que meus pais acreditavam ser melhor. Decidi agradar a mim, não a eles. Decidi me tornar responsável pela minha própria vida, minha própria alegria, minha própria família. E decidi fazer isso com amor.

Foi aí que me tornei uma adulta.

Naquela noite eu falei para Abby:

— Não vou passar nem mais um segundo me explicando ou justificando nosso relacionamento. Explicações são o medo preparando sua defesa, e nós não estamos em julgamento. Ninguém pode tirar de nós o que temos. Não posso convencer meus pais de que estamos bem falando incessantemente sobre como estamos bem. Acho que a única forma de convencer qualquer um de que você está bem é só estando bem e deixando que as pessoas vejam isso. Não quero mais sair da nossa ilha para pregar por nós. É cansativo demais, e toda vez que saio para tentar convencer os outros de que estamos bem, não estou aqui, com você... *estando bem.* Então vou colocar mais uma placa na nossa ilha. Essa não está virada para fora, para o mundo. Está virada para dentro, para nós, como um lembrete. Diz: "Só o amor sai."

O medo não entra. O medo não sai.

Só o amor entra. Só o amor sai.

No dia seguinte, eu estava debaixo da sombra de uma árvore na reunião do time de corrida do meu filho, tentando me refrescar do calor de quarenta graus. Estava no telefone com a minha mãe, que pedira para vir visitar os netos. Seu tom era controlado, ansioso, trêmulo. Ela ainda estava preocupada e achando que isso era amar. Ela simplesmente não conseguia confiar no meu Saber ainda. Mas, pela primeira vez, foi isso que eu fiz. Eu confiei no meu Saber.

Esta é a parte da história em que uma mãe e uma filha se tornam duas mães:

— Mãe. Não. Você não pode vir — falei. — Você ainda está com medo, e não pode trazer isso para cá porque meus filhos... eles não estão com medo. Nós os criamos para entender que amor e verdade, em qualquer forma, devem ser honrados e celebrados. Não aprenderam o medo que você carrega, e eu não vou permitir que aprendam isso pela sua voz e pelos seus olhos. Seu medo de que o mundo vá rejeitar nossa família está fazendo com que você mesma crie essa rejeição que você tanto teme. Nossos filhos não estão carregando o medo que você carrega, mas se você trouxer isso para cá, eles vão aprender, porque confiam em você. Não quero que esse fardo desnecessário passe para eles.

"Esse é o caminho mais fácil para mim, para Abby, para Craig, para os seus netos? Claro que não. Mas é o caminho mais verdadeiro. Estamos construindo uma família e um lar verdadeiros e lindos, e espero do fundo do meu coração que em breve você possa se juntar a nós aqui. Mas nós não podemos ser as responsáveis por ensinar a você que pode nos amar e nos aceitar. Tenho que dizer uma coisa difícil, que é que seu medo não é problema meu, de Abby ou das crianças. Meu dever, como mãe, é me certificar de que isso nunca se torne um problema deles. Nós não temos problemas, mãe. Eu quero que você venha para cá assim que você também não tiver.

"Essa vai ser nossa última conversa sobre o medo que você sente por nós. Eu te amo muito. Mas você precisa resolver isso por si só, mãe. Quando estiver pronta para vir para a nossa ilha sem nada além de aceitação, alegria e felicidade pela nossa família tão linda e verdadeira, vamos baixar a ponte levadiça para você. Nem um segundo antes."

Minha mãe ficou em silêncio por um longo tempo. Então disse:

— Entendi. Vou ter que pensar sobre tudo isso. Eu te amo.

Nós desligamos. Eu saí da sombra e voltei para a minha família.

M, me ouça com atenção.

Você tem uma criança na sua ilha que está fazendo o que poucos adolescentes conseguem fazer: está vivendo a partir da própria Árvore de Toque. A árvore dela é pequena ainda, só uma mudinha na sua ilha. Não abra a porta e convide uma tempestade que vai derrubá-la antes que tenha tempo de ganhar raízes.

Proteja sua ilha por ela. Sua filha ainda não é adulta o bastante para ser a guardiã da ponte levadiça; esse dever ainda é seu. Não baixe a ponte da sua família para o medo — nem se for pelas pessoas que ela ama. Especialmente se esse medo for apresentado em nome de Deus.

Uma mulher se torna uma mãe responsável quando para de ser uma filha obediente. Quando finalmente entende que está criando algo diferente do que seus pais criaram. Quando começa a construir sua ilha, não segundo as especificações deles, mas segundo as suas. Quando ela finalmente entende que não é dever dela convencer todo mundo na sua ilha a aceitar e respeitar a ela mesma e aos seus filhos. Seu dever é permitir que entrem na sua ilha somente quem já os aceita e respeita, somente as pessoas que vão atravessar a ponte levadiça como queridos e respeitosos *convidados* que são.

Hoje à noite, sente-se com seu parceiro ou parceira e decida, com honra e intenção, o que vocês vão permitir na sua ilha e o que não vai entrar. Não *quem* são inegociáveis, mas *o quê*. Não desça sua ponte levadiça para nada além do que vocês decidiram ser permitido na sua ilha, não importa quem esteja carregando.

Neste momento, está sendo exigido de você escolher entre permanecer uma filha obediente ou se tornar uma mãe responsável.

Escolha ser mãe. Todas as vezes, daqui em diante, escolha ser mãe.

Seus pais tiveram a vez deles de construir uma ilha.

Agora é a sua.

Pedregulhos

Querida Glennon,

Acabei de trazer minha filhinha do hospital. Quando coloquei sua cadeirinha no chão, esqueci como se respira. Não sei como fazer isso. Estou com tanto medo. Minha mãe não me amou bem. Pelo menos uma vez por dia eu penso: por que ela não me amava? Havia algo de errado com ela... ou comigo? E se fosse comigo? Como vou saber como ser mãe para a minha filha se não recebi o amor da minha mãe?

H

Querida H,

Eu sei o seguinte: pais amam seus filhos. Nunca encontrei uma exceção.

O amor é como um rio, e às vezes existem empecilhos que atrapalham seu fluxo.

Questões emocionais, vício, vergonha, narcisismo, medo herdado por instituições religiosas ou culturais... são pedregulhos que interrompem o fluxo de amor.

Às vezes um milagre acontece e o pedregulho é removido. Algumas famílias têm a chance de vivenciar esse Milagre do Livramento. Muitas não. Não existe motivo. Nenhuma família merece isso. A cura não é a recompensa para os que amam mais ou amam melhor.

Quando um pai ou uma mãe fica saudável de novo, a criança começa a sentir seu amor. Quando o pedregulho é removido, a água flui de novo. É como rios são, é como o amor de um pai é.

Nós somos o rio, não o pedregulho.

Sua mãe — sua irmã, sua amiga, a pessoa que não conseguiu amar você — teve seu amor interrompido. O amor estava lá — rodopiando, infeccionando, ferindo em seu desespero para se soltar. Estava lá, está lá, todo para você. O amor existe. Só não conseguiu ultrapassar o empecilho.

Pode confiar em mim porque eu já fui um rio represado. O pedregulho do vício bloqueava meu amor, e tudo que minha família sentia vindo de mim era dor e ausência. Meu pai costumava perguntar: *Por quê, Glennon? Por que você mente para mim e me trata tão mal, nos trata tão mal? Você sequer nos ama?*

Eu amava. Eu sentia todo aquele amor rodopiando, infeccionando, a pressão parecendo que ia me matar. Mas eles não sentiam nada. Para eles, meu amor não existia.

Até que meu Livramento, a sobriedade, veio. E isso foi ao mesmo tempo um milagre e um trabalho excruciantemente difícil. Com o tempo, meu amor conseguiu fluir para as pessoas de novo. Porque eu sempre fui o rio, não o pedregulho.

Pessoas desesperadas muitas vezes me perguntam: "Como? Como você ficou sóbria? O que a sua família fez?"

Eles tentaram de tudo, e nada teve a ver com a minha recuperação. Todo o amor do mundo não é capaz de mover um pedregulho, porque o Livramento não acontece entre a pessoa impedida e as pessoas que a amam. O Livramento acontece estritamente entre a pessoa impedida e seu Deus.

Sinto muito, H.

Você merecia ter recebido o amor de sua mãe. Você merecia ser banhado até o último fio de cabelo pelo amor dela, todos os dias.

Mas agora você precisa me ouvir.

O milagre da graça é que você pode dar o que nunca recebeu.

Você não recebeu sua capacidade de amar dos seus pais. Eles não são a fonte. A fonte é Deus. A fonte é você mesma. Seu rio tem força.

Banhe sua bebezinha todos os dias com o seu amor.

Sem obstáculos.

Banhos de sangue

Durante a turnê do meu livro *Somos guerreiras*, milhares de leitoras de todo país apareceram, esperando que eu fizesse o que sempre fiz: falar a verdade sobre a minha vida. Mas pela primeira vez em uma década, elas ainda não sabiam a verdade sobre a minha vida. Eu tinha contado que estava me divorciando de Craig, mas ainda não tinha falado que estava apaixonada por Abby.

Havia uma escolha: eu poderia revelar meu novo relacionamento antes de me sentir pronta, ou poderia encarar minhas leitoras e esconder a coisa mais importante que estava acontecendo na minha vida. A primeira opção era apavorante e também a resposta óbvia, por causa da minha Única Coisa. Minha Única Coisa é minha sobriedade. Para mim, a sobriedade não é parar algo; é também começar uma forma de viver específica. Essa forma de viver exige viver com integridade: me certificando de que meu eu interior e meu eu exterior estejam integrados. Integridade significa ter somente um eu. Me dividir em duas — o eu que mostro e o eu que escondo — é estar partida, então eu faço o que for preciso para permanecer inteira. Não ajusto quem sou para agradar o mundo. Eu sou eu mesma não importa onde esteja, e deixo que o mundo se ajuste.

Nunca vou prometer ser desse ou daquele jeito; só prometo aparecer como sou onde quer que esteja. Só isso. As pessoas podem gostar ou não de mim, mas gostarem de mim não é minha Única Coisa; integridade é minha Única Coisa. Então tenho que viver e dividir minha verdade. As pessoas podem mudar de ideia ou se afastar. Seja como for, está ótimo. Qualquer coisa ou qualquer pessoa que eu possa perder contando a verdade nunca foi minha. Estou disposta a perder qualquer coisa que me exija esconder qualquer parte de mim mesma.

Então decidi contar ao mundo que estava apaixonada por Abby. Na noite anterior ao meu anúncio, uma das minhas colegas falou:

— Lá vamos nós. Amanhã é o banho de sangue.

Eu entendia aquela ansiedade. Eu sabia que ficariam surpresas e que teriam muitas perguntas e opiniões.

Algumas diriam, admiradas:

— Eu respeito tanto você... Como você teve coragem de fazer isso?

Outras comentariam, desdenhosas:

— Eu respeitava tanto você. Quem disse que você podia fazer isso?

Eu sabia que minha resposta seria a mesma, não importava a pergunta:

— Eu me separei do meu marido para construir uma vida com Abby pelo mesmo motivo que larguei a bebida para ser mãe, dezoito anos atrás. Porque de repente eu conseguia imaginar uma existência mas bonita e mais verdadeira para mim do que a que eu estava vivendo. E minha forma de viver é ousar imaginar a vida, a família e o mundo mais verdadeiros e mais bonitos possíveis... e então reunir a coragem para tornar realidade o que imaginei.

"Quando tinha trinta e poucos anos, aprendi que existe um tipo de dor nessa vida que quero sentir. É a dor inevitável, excruciante e necessária de perder coisas bonitas: confiança, sonhos, saúde, animais, relacionamentos, pessoas. Esse tipo de dor é o preço do amor, o custo de se viver uma vida com coragem e com o coração aberto. E eu estou disposta a pagar.

"Existe outro tipo de dor que vem não de perder coisas bonitas, mas de nunca sequer tentar alcançá-las.

"Senti esse tipo de dor na minha vida. Eu a vejo nos rostos dos outros também. Vejo o desejo nos olhos de uma mulher que está do lado do seu amante, mas se sente completamente sozinha. Vejo a raiva nos olhos de uma mulher que não está feliz, mas sorri mesmo assim. Vejo a resignação nos olhos de uma mulher que está morrendo aos poucos pelos filhos em vez de viver por eles. E eu ouço. Ouço na amargura de uma mulher que descreve fingir orgasmos para poder levantar e terminar de dobrar a roupa limpa. Ouço no tom desesperado de uma mulher que tem algo a dizer, mas nunca disse. No cinismo de uma mulher que aceitou a injustiça que ela poderia ajudar a mudar se tivesse mais coragem. É a dor de uma mulher que se abandonou aos poucos.

"Tenho 44 anos agora, e Deus me livre de escolher esse tipo de dor de novo.

"Eu me separei do meu marido e estou construindo uma vida com Abby porque sou uma porra de uma adulta e faço a merda que eu quiser. Digo isso com todo o meu amor e respeito, e com o desejo de que vocês também façam a merda que quiserem com a sua única e preciosa vida.

"A verdade é que não importa nem um pouco o que vocês pensam da minha vida. Mas importa demais o que pensam das suas. Julgamento é só outra jaula em que vivemos para não precisarmos sentir, saber e imaginar. Julgamento é autoabandono. Você não está neste mundo para perder tempo decidindo se minha vida é verdadeira ou bela o suficiente para você. Está aqui para decidir se sua vida, seus relacionamentos e seu mundo são verdadeiros e belos o suficiente para você. E se a resposta for não e você ousar admitir isso, você deve decidir se tem a coragem, o direito, talvez até mesmo o dever, de transformar em cinzas o que não é verdadeiro e belo o suficiente e começar a construir algo que seja.

"É disso que quero ser um exemplo agora, porque é isso que quero para todas nós. Quero que todas nós fiquemos tão confortáveis com nossos sentimentos, com nosso Saber, com nossa imaginação, que nos comprometamos mais com nossa alegria, nossa liberdade e integridade do que com a tentativa de manipular o que os outros pensam de nós. Quero que a gente se recuse a se trair. Porque do que o mundo precisa no momento, para evoluir, é ver uma mulher de cada vez vivendo sua vida mais verdadeira e mais bela, sem pedir permissão ou oferecer explicação."

★ ★ ★

Na manhã seguinte, eu acordei, servi um pouco de café, abri meu computador e respirei fundo. Então postei — para um milhão de pessoas — uma foto de mim e Abby, abraçadas no balanço da varanda, ela tocando violão, nós duas encarando a câmera. Nós parecíamos decididas. Contentes. Tranquilas. Sossegadas. Aliviadas. Eu escrevi que eu e Abby estávamos apaixonadas e que planejávamos construir uma vida juntas, com as crianças e Craig. Não escrevi muito mais que isso. Tomei cuidado para não pedir desculpas nem me explicar ou justificar. Simplesmente penso: *let it be*. Então saí da internet e me lembrei de que era responsável por dizer a verdade, mas não pela reação de ninguém. Tinha feito minha parte.

Minha irmã ligou uma hora depois, com a voz trêmula.

— Mana — disse. — Você não vai acreditar no que está acontecendo. Por favor, senta e lê o que as nossas pessoas estão dizendo. Vê o que estão fazendo. Como essa comunidade está apoiando você e Abby.

Eu liguei o computador e vi milhares de comentários maravilhosos, gentis, delicados, inteligentes, tranquilizadores, cuidadosos e ponderados. Eram de uma comunidade de pessoas que entendiam que não precisavam me compreender para me amar. Não foi um banho de sangue. Foi mais um batismo. Pareciam dizer: "Bem-vinda ao mundo, Glennon. Vamos ajudar você."

Naquela noite, uma amiga me ligou e disse:

— Glennon, sabe o que eu pensei o dia todo? Você criou essa comunidade para outras mulheres. Mas talvez tenha sido para você mesma. Esse tempo todo você estava criando a rede de segurança em que um dia ia precisar cair.

Que todos nós tenhamos a chance de viver em comunidades onde o eu verdadeiro de cada pessoa possa ser ao mesmo tempo acolhido e livre.

Racistas

Eu tinha onze anos quando comecei o tratamento para bulimia. Na época, o mundo dos transtornos mentais tratava as pessoas de forma diferente. Quando uma criança ficava doente, se presumia que tivesse problemas. O que ainda não se entendia é que muitas crianças doentes são como canários em minas de carvão, inalando passivamente as toxinas no ar de suas famílias, culturas ou ambas. Então fui separada, enviada para terapeutas e médicos que tentaram me consertar, em vez de tentar afastar as toxinas que eu estava respirando.

Quando estava no ensino médio, uma terapeuta finalmente pediu para a minha família participar de uma das sessões. Depois de alguns minutos, ela se virou para o meu pai e perguntou:

— O senhor consegue imaginar como pode estar inadvertidamente contribuindo para a doença de Glennon?

Meu pai ficou muito irritado. Tanto que se levantou e saiu da sala. Eu entendi o motivo. A maior prioridade do meu pai era ser um bom pai. Ele se prendia tanto à identidade de bom pai que não conseguia imaginar que poderia, de qualquer maneira, fazer mal à sua garotinha. Na cabeça dele, bons pais não contribuem para disfunções familiares. É claro que isso acontece, o tempo todo, porque os bons pais ainda são seres humanos. Em retrospecto, vejo que nossa família tinha pensamentos sobre comida, controle e aparência que seria saudável que todos nós escavássemos, trouxéssemos à luz e déssemos fim a eles. Mas a recusa do meu pai de olhar para dentro significou que fiquei sozinha por muito tempo. Ninguém mais queria se virar do avesso, só eu.

Décadas depois daquele dia no consultório da terapeuta, Donald Trump foi eleito presidente. Uma amiga me ligou e disse:

— Isso é o apocalipse. É o fim do nosso país como o conhecemos.

— Espero que sim. Apocalipse significa revelação. É preciso revelar antes de recuperar.

— Ah, pelo amor de Deus, chega de papo de recuperação! Agora não dá.

— Não, escuta: para mim, parece que chegamos ao fundo do poço! Talvez isso signifique que finalmente estamos prontos para seguir em frente. Talvez agora possamos admitir que nosso país estava fora de controle. Talvez façamos uma reflexão sobre nossa moralidade e enfrentemos o segredo familiar que não é segredo para ninguém: que esta nação, fundada com "liberdade e justiça para todos", foi construída com o assassinato, escravização, estupro e jugo de milhões. Talvez agora a gente admita que liberdade e justiça para todos sempre significou liberdade para homens heterossexuais brancos e ricos. Aí talvez a gente consiga reunir a família toda ao redor da mesa, inclusive mulheres, gays e negros, além de quem está no poder, para dar início ao longo e difícil trabalho de compensar quem sofreu por isso. Já vi esse processo curar pessoas e famílias. Talvez nossa nação possa se curar assim também.

Eu fui teimosa e presunçosa. Mas tinha esquecido que sistemas doentes são feitos de pessoas doentes. Pessoas como eu. Para ficarmos saudáveis, todo mundo precisa ficar presente e se virar do avesso. Nenhuma família se recupera até todos os membros se recuperarem.

Logo depois dessa conversa com minha amiga, sentei no sofá da sala e chamei minhas filhas para se sentarem ao meu lado. Falei para elas:

— Venham aqui, meninas.

Elas se sentaram e me olharam. Eu contei que, enquanto elas estavam dormindo, um homem branco tinha entrado em uma igreja e matado a tiros nove pessoas negras.

Então contei às minhas filhas sobre um menino negro, mais ou menos da idade do irmão delas, que estava voltando para casa a pé e foi perseguido e morto. Contei que o assassino disse que tinha achado que o menino tinha uma arma, mas que na verdade ele só tinha um pacote de Skittles. Amma perguntou:

— Por que aquele homem achou que as balas do Trayvon eram uma arma?

— Acho que ele não achou isso de verdade. Acho que ele só precisava de uma desculpa para matar.

Ficamos sentadas assim por um tempo. Elas fizeram mais perguntas. Eu me esforcei ao máximo para responder. Então decidi que já tínhamos falado dos vilões o suficiente. Precisávamos falar dos heróis.

Entrei no meu escritório para pegar um livro em especial. Tirei o exemplar da estante, voltei para o sofá e me sentei entre as duas de novo. Abri o livro, e lemos sobre Martin Luther King Jr., Rosa Parks, John Lewis, Fannie Lou Hamer, Diane Nash e Daisy Bates. Observamos as fotos das marchas pelos direitos civis, e falamos sobre por que as pessoas fazem passeatas.

— Uma vez alguém disse que marchar é rezar com os pés — contei.

Amma apontou para uma mulher branca segurando um cartaz, marchando em meio a um mar de pessoas negras. Seus olhos se arregalaram e ela disse:

— Mamãe, olha! A gente estaria marchando com eles? Que nem ela?

Eu me preparei para falar: "É claro. É claro que sim, querida."

Mas antes que eu pudesse, Tish respondeu:

— Não, Amma. A gente não estaria marchando com eles naquela época. Afinal, não estamos marchando agora.

Encarei minhas filhas, que olhavam para mim. Pensei no meu pai, no consultório da terapeuta, tantos anos atrás. Era como se minhas filhas tivessem se virado para mim e perguntado: "Mãe, você consegue imaginar como a gente pode estar inadvertidamente contribuindo para a doença do nosso país?"

Uma semana depois, eu estava lendo o famoso ensaio de Martin Luther King Jr., "Carta de uma prisão em Birmingham", e encontrei o seguinte:

> Devo confessar que nos últimos anos tenho estado gravemente decepcionado com os brancos moderados. Quase cheguei à conclusão lamentável de que a maior dificuldade do negro em sua caminhada em direção à liberdade não é o Conselho dos Cidadãos Brancos ou a Ku Klux Klan, mas o branco moderado, que é mais devotado à "ordem" do que à justiça; que prefere uma paz negativa, que é a ausência da tensão, à paz positiva, que é a presença da justiça; que constantemente diz: "Eu concordo com você nos seus objetivos, mas não posso concordar com seus métodos de ação direta."

Foi a primeira vez encontrei as palavras que definiam o tipo de pessoa que eu era no mundo. Uma pessoa branca que se imaginava estando do lado do movimento pelos direitos civis, porque era uma pessoa boa, que acreditava totalmente que a igualdade é correta. Mas a mulher branca que Amma apontara naquela fotografia não estava em casa, acreditando. Ela estava participando. Quando olhei para o seu rosto, ela não parecia *boa*. Parecia radical. Furiosa. Corajosa. Assustada. Cansada. Determinada. Majestosa. E um pouco assustadora.

Eu imaginava que era o tipo de pessoa que teria ficado ao lado do dr. King, porque eu o respeito *agora*. Perto de 90% dos americanos brancos aprovam o dr. King Jr. hoje. Porém, quando ele estava vivo e lutando por mudanças, só 30% dos brancos o apoiavam — a mesma porcentagem de americanos brancos que apoiam Colin Kaepernick hoje.

Então, se quero saber como me sentiria sobre o dr. King naquela época, não posso me perguntar como me sinto agora; em vez disso, tenho que me perguntar: como me sinto sobre Kaepernick agora? Se quero saber o que eu pensaria sobre o Freedom Riders naquela época, não posso me perguntar o que eu penso sobre eles agora; em vez disso, tenho que me perguntar: o que penso sobre o movimento Vidas Negras Importam agora?

Se quero saber como eu teria me comportado algumas décadas atrás, quando lutávamos pelos direitos civis, tenho que me perguntar: como estou me comportando hoje, quando lutamos pelos direitos civis?

Decidi ler todos os livros que conseguisse encontrar sobre raça e os Estados Unidos. Enchi minhas *timelines* das mídias sociais com escritores e ativistas negros. Logo ficou muito claro como minhas mídias sociais moldavam minha visão de mundo. Com um feed cheio de vozes brancas, rostos parecidos com o meu e artigos que refletiam experiências como as minhas, era fácil acreditar que, em geral, as coisas estavam bem. Quando me comprometi a começar o dia lendo as perspectivas de pessoas negras, percebi que tudo estava, e sempre estivera, longe de estar bem. Aprendi sobre brutalidade policial desenfreada, sobre o ciclo escola-para-prisão, sobre as condições sub-humanas nos centros de detenção para imigrantes, sobre a destruição das áreas de reserva nativo-americanas. Comecei a expandir. Estava desaprendendo a versão embranquecida da história americana que fui doutrinada a acreditar. Estava descobrindo que eu não era quem imaginava ser. Estava descobrindo que meu país não era como eu fui ensinada a pensar que era.

Essa experiência de aprendizado e desaprendizado me lembrou do processo de ficar sóbria. Quando comecei a realmente ouvir e pensar profundamente sobre as experiências das pessoas negras e outros grupos marginalizados no nosso país, a sensação era parecida com a que tive quando parei de beber: cada vez mais desconfortável conforme a verdade agitava meu entorpecimento confortável. Eu me senti envergonhada quando descobri todas as formas com que magoara outras pessoas com minha ignorância e silêncio. Eu me senti exausta, porque havia muito mais a desaprender, muito mais a compensar, e muito mais trabalho a fazer. Assim como nos meus primeiros dias sóbria do álcool, eu estava acordando para a supremacia branca, eu me sentia trêmula, assustada e agitada conforme renunciava aos poucos ao privilégio de não saber. Foi uma transformação dolorosa.

Com o tempo, chegou o momento de falar. Comecei a dividir com os outros as vozes que estava lendo, a apontar o racismo no passado dos Estados Unidos, assim como o preconceito e a estratégia de divisão da presidência atual. Toda vez que eu fazia isso, as pessoas ficavam irritadas. Eu não me importava, porque parecia que eu estava irritando as pessoas certas.

Muito tempo depois, fui chamada para participar de um grupo de ativistas liderado por mulheres negras. Uma das líderes deu a mim e outra mulher branca o trabalho de planejar um seminário on-line para outras brancas, com a intenção de convidá-las a trabalhar contra a injustiça racial. Nossa missão tinha dois objetivos: começar a educar outras mulheres brancas e pedir doações para fundos de fiança de ativistas negros na linha de frente todos os dias.

Eu e a outra mulher branca aceitamos o trabalho. Enquanto fazíamos o planejamento ao telefone, decidimos que ela se concentraria na história de complacência das mulheres brancas, e eu me concentraria na minha experiência pessoal de perceber o meu lugar dentro da supremacia branca. Achei que, se eu explicasse que a confusão, a vergonha e o medo dos primeiros dias da sobriedade racial eram partes previsíveis do processo de se tornar antirracista, elas estariam mais bem preparadas para permanecer na luta. Além disso, também estariam mais bem preparadas para confrontar seu racismo em particular, em vez de acreditar erroneamente que seus sentimentos devem ser compartilhados de forma pública. Isso parecia importante, porque líderes negras me diziam que a ignorância e o drama de mulheres brancas bem-intencionadas eram um grande empecilho à justiça.

Eu sabia do que estavam falando. Já tinha visto acontecer muitas vezes. Se as mulheres brancas não aprendessem que nossas experiências no início da sobriedade racial são previsíveis, acabamos pensando que nossas reações são especiais. Então entramos nas conversas sobre raça cedo demais, e queremos falar dos nossos sentimentos, da confusão que sentimos, das nossas opiniões. Quando fazemos isso estamos nos forçando para o centro da discussão, e inevitavelmente somos colocadas no nosso lugar, que é bem longe dali. Isso nos deixa ainda mais agitadas. Estamos acostumadas a ver as pessoas gratas por nossa presença, então não sermos apreciadas nos magoa. Nós insistimos. Falamos coisas como: "Pelo menos eu estou tentando. Ninguém nem agradece. Eu só sou atacada aqui." As pessoas ficam chateadas com isso, porque "Estou sendo atacada" não descreve o que está acontecendo de verdade. As pessoas só estão nos dizendo a verdade pela primeira vez. Essa verdade só parece um ataque porque fomos protegidas por mentiras confortáveis por tempo demais.

Ficamos confusas. Sentimos que estamos sempre dizendo a coisa errada e que as pessoas estão sempre chateadas conosco por isso. Mas eu não acho que as pessoas ficam chateadas só porque falamos as coisas erradas. Acho que as pessoas estão chateadas — e nós ficamos magoadas, frustradas e na defensiva — porque caímos na armadilha de acreditar que a sobriedade racial tem a ver com dizer a coisa certa, em vez de se *tornar* a pessoa certa; que estar presente se baseia em *parecer* em vez de *transformar*. A forma como nos apresentamos revela que ainda não estudamos e ouvimos o bastante para nos *tornarmos* a pessoa certa antes de tentar *dizer* a coisa certa.

Somos canecas cheias até a borda, e continuamos levando golpes. Se nos enchem de café, o café vai derramar. Se nos enchem de chá, o chá vai derramar. Levar golpes é inevitável. Se quisermos que o que derrame da gente mude, precisamos trabalhar para mudar o que há dentro de nós.

"Como eu entro no tópico racismo?" é a pergunta errada no início da sua sobriedade racial. Não estamos falando de uma conversa em que você vai entrar publicamente, e sim uma conversão a que se render em particular. Quer estejamos nessa para atuar ou transformar se torna evidente pela forma como ocupamos espaços. Quando uma mulher branca que está se destransformando aparece num local público, ela o faz com respeito e humildade, que é uma maneira de ser calma, estável e dócil. Não com uma vergonha dramática, porque autoflagelo é só outra maneira de chamar atenção. Ela têm sentimentos, mas os questiona interiormente, em vez de impô-los aos outros, porque há um entendimento profundo de que o que ela sente é irrelevante quando pessoas estão morrendo.

Eu tinha planejado dizer tudo isso no seminário on-line. Minha ideia era que podia preparar as participantes para os primeiros estágios de sobriedade racial, e que essa preparação servisse aos esforços mais amplos de justiça social do grupo de ativistas. Nós enviamos o planejamento do seminário para as líderes do grupo para que elas dessem suas opiniões e aprovações. Fizemos os ajustes sugeridos, depois fizemos as postagens sobre o seminário. Milhares de pessoas se inscreveram. Eu fui dormir.

Na manhã seguinte, acordei com a mensagem de uma amiga: "G, só checando como você está. Estou vendo o que está acontecendo na internet. Me diz se você está bem".

Meu coração pesou enquanto eu abria o Instagram. Havia centenas, milhares, até, de comentários, muitos de pessoas me chamando de racista.

O que eu não sabia naquela época é que existem várias escolas diferentes, contraditórias e igualmente válidas de pensamento sobre como mulheres brancas devem participar do movimento antirracista. Uma delas: mulheres brancas — quando respondendo a e lideradas por mulheres negras — devem usar suas vozes e plataformas para chamar outras pessoas brancas para o movimento antirracista. Outra visão: mulheres brancas só devem usar suas vozes para apontar pessoas negras que já estão fazendo esse trabalho. Quem concorda com essa última filosofia estava furioso comigo por conta do seminário on-line.

Por que você está tentando ensinar alguma coisa em vez de indicar mulheres negras que já estão fazendo esse trabalho? Por que você ocuparia espaço nesse movimento quando tantas mulheres negras já se dedicam a isso há tempos? Oferecer um curso de graça é ganhar um dinheiro que poderia estar indo para educadores negros. Oferecer um "espaço seguro" para mulheres brancas falarem sobre raça é errado — mulheres brancas não precisam estar seguras; elas precisam se educar. Você está cancelada. Você é racista. Você é racista, Glennon. Você não passa de uma racista. Em todo lugar, a palavra *racista*.

Eu fiquei chocada.

Crítica não é novidade para mim. Afinal, eu anunciei que estava me relacionando com outra mulher durante uma turnê de palestras para o público cristão. Já fui ridicularizada e excomungada por várias denominações religiosas. Estou acostumada ao "outro lado" me odiar; uso essas reações como uma medalha de honra. Mas o fogo amigo era novidade, e era horrível. Eu me senti idiota e cheia de remorso. Também fiquei morrendo de inveja de todas as pessoas que tinham decidido recusar essa oferta. Pensei na frase: "Melhor ficar quieto e deixar que pensem que você é um tolo do que abrir a boca e fazer com que tenham certeza disso." Eu estava magoada, frustrada e assustada, porque não conseguia pensar em absolutamente nada que temesse mais do que ser chamada de racista. Era o fundo do poço.

Por sorte, também aprendi muitas vezes que, embora o fundo do poço pareça o fim, sempre é o começo de algo. Eu sabia que esse era o momento em que eu teria uma recaída, com algumas doses de autopiedade e resignação, ou me comprometeria ainda mais com a minha sobriedade racial e seguiria em frente. Falei para mim mesma: respire fundo. Não entre em pânico e fuja. Mergulhe. Sinta tudo. Pare. Imagine. Deixe queimar.

Com o tempo, comecei a me lembrar.

Toda noite, quando eu era nova, minha família sentava no sofá do porão e assistia ao noticiário noturno junta. Era a época da Guerra contra as Drogas. Eu morava nos subúrbios, mas nas cidades as coisas claramente estavam horríveis. As notícias insistiam que o crack tinha se espalhado por toda parte, assim como os "bebês do crack" e as "rainhas do assistencialismo". Noite após noite, nós assistíamos a jovens negros serem jogados no chão, presos em massa, empurrados para dentro de carros de polícia. Depois do noticiário, o programa *Cops* passava. Junto com milhões de outras famílias americanas, a minha assistia à série *Cops* junta. Toda noite, eu via policiais, em gerais brancos, prenderem, em geral, homens negros e pobres. Como entretenimento. A gente comia pipoca enquanto assistia.

* * *

Trinta anos depois, depois do massacre de Charleston, a cidadezinha rural na Virgínia onde meus pais moram estava em polvorosa, tentando descobrir como responder às questões raciais agitando a consciência da América. Uma igreja local convidou os moradores a se reunirem e conversarem sobre isso. Meus pais decidiram participar.

Estavam em um salão com mais uma centena de pessoas brancas. Uma mulher se levantou para começar a reunião. Ela anunciou que tinha decidido, junto com mais algumas amigas, responder à crise mandando produtos e alimentos para a escola predominantemente negra do outro lado da cidade. Ela sugeriu que as pessoas se separassem em grupo e escolhessem que produtos iriam reunir. Os presentes suspiraram de alívio: sim! Uma ação externa! Performance em vez de transformação! Nosso interior segue intocado!

Meu pai ficou confuso e frustrado. Ergueu a mão. A mulher lhe deu a palavra.

Ele ficou de pé e falou:

— Não vim aqui para montar cestas básicas. Vim aqui para falar. Fui criado em uma cidade racista do Sul. Aprendi muitas coisas sobre pessoas negras que carrego na minha mente e no meu coração há décadas. Estou começando a entender que o que carrego não são simplesmente mentiras: são mentiras mortais. Não quero passar esse veneno para a geração dos meus netos. Quero tirar isso de mim, mas não sei como. Acho que o que quero dizer é que, no fundo, tenho racismo dentro de mim e não quero mais isso.

Meu pai é um homem que passou a carreira inteira em escolas, defendendo crianças que não se pareciam comigo. É um homem que nos ensinou, todos os dias, que o racismo é ruim. Mas ele agora compreende que uma pessoa pode ser boa e ainda assim estar doente. Meu pai entendeu que existe uma coisa nos Estados Unidos chamada "racista funcional" e se tornou humilde o suficiente para entender que podemos ser pessoas boas, gentis, que defendem a justiça em nossos corações e mentes — mas, morando neste país, somos envenenados pelo ar racista que respiramos. Ele ousou imaginar que tinha um papel na nossa família americana doente.

Estava pronto para queimar a identidade de "pessoa branca boa" e disposto a permanecer presente, a se virar do avesso.

Sou feminista, mas fui criada em uma cultura sexista. Fui criada em um mundo que tentou me convencer, através da mídia, de organizações religiosas, de livros de história, da indústria da beleza, que corpos femininos valem menos do que corpos masculinos, e que certos tipos de corpos femininos (magros, altos, jovens) têm mais valor do que outros.

As imagens de corpos de mulheres à venda, a enxurrada de corpos de mulheres emaciados considerados o ápice do sucesso feminino, e a mensagem generalizada de que mulheres existem para agradar aos homens está no ar que respiro. Eu vivia em uma mina, e a toxina era a misoginia. Fiquei doente por isso. Não porque sou uma pessoa ruim e machista, mas porque estava respirando o ar misógino.

Eu desenvolvi bulimia e levei a vida inteira para me recuperar. O ódio próprio é mais difícil de desaprender do que é de aprender. É difícil uma mulher ser saudável em uma cultura que ainda é tão doente. É a maior vitória de uma mulher encontrar uma forma de amar a si e a outras mulheres em um mundo que insiste que ela não tem esse direito. Então estou me esforçando muito para manter minha saúde e integridade todos os dias. Sou uma defensora da igualdade para todas as mulheres porque, no fundo, eu sei a verdade. Eu sei para que o meu corpo existe. Não é para uso dos homens. Não para vender coisas. É para amar, aprender, descansar, lutar por justiça. Sei que todos os corpos na Terra têm o mesmo valor incalculável.

Mas mesmo assim.

Ainda carrego o veneno em mim. Ainda tenho todos os preconceitos que me foram inoculados por décadas. Todos os dias eu ainda luto para amar meu corpo. De todos os meus pensamentos diários, 50% são sobre meu corpo. Ainda subo na balança para verificar meu amor próprio. E é provável que, subconscientemente, ainda julgue que uma mulher magra e jovem valha mais do que uma mulher velha e gorda. Sei que muitas vezes minha primeira reação não é o que há de selvagem em mim, é reflexo da minha dominação. Então posso corrigir esse pré-julgamento incorreto, mas ainda é preciso um esforço deliberado. Nós nos tornamos o ar que respiramos.

Quando tinha 35 anos, percebi que as rugas na minha testa estavam ficando mais fundas e me vi dirigindo até um consultório médico e pagando centenas de dólares para que injetassem um Botox doloroso e venenoso na minha testa. Meu rosto deveria valer tanto quanto os rostos mais jovens e mais lisos na TV. Embora eu literalmente soubesse que era bobagem, meu subconsciente, não. Meu subconsciente ainda não tinha alcançado minha mente e meu coração, porque estava (ainda está) envenenado. Foi necessária uma decisão consciente para que eu parasse de me envenenar. Para que eu parasse de pagar para ter misoginia aplicada por baixo da minha pele. Sou uma feminista dedicada e apaixonada. Mas ainda tenho machismo e misoginia correndo pelas veias. Você pode ser uma coisa e seu subconsciente ser outra.

Converso o tempo todo com outras mulheres sobre como a misoginia que nossa cultura inocula no ar nos afeta profundamente. Como corrompe nossas ideias e nos coloca umas contra as outras. Como aquele veneno programado nos deixa doentes e nos torna más. Sobre o tamanho do esforço que precisamos fazer para nos desintoxicarmos, para que não continuemos ferindo a nós mesmas e outras pessoas. As mulheres choram, concordam e dizem: "Sim, sim, eu também. Eu também tenho misoginia dentro de mim e não quero mais isso." Ninguém tem medo de admitir que tem misoginia internalizada, porque não há moralidade ligada a essa confissão. Ninguém decide que ser afetada por misoginia a torna uma pessoa ruim. Quando uma mulher diz que quer se desintoxicar do machismo, ela não é rotulada como machista. Todo mundo sabe que existe uma diferença entre uma pessoa misógina e uma pessoa afetada pela misoginia que está ativamente lutando para se desintoxicar. As duas pessoas carregam o machismo dentro de si, programado pelo sistema, mas a primeira está usando-o como uma ferramenta de poder para ferir os outros, e a segunda está se esforçando para se livrar desse poder de modo a poder parar de ferir os outros.

Mas, quando falo de racismo, as mesmas mulheres dizem: "Mas eu não sou racista. Não sou preconceituosa. Não fui criada assim."

Não vamos tirar o racismo de dentro de nós até começarmos a pensar nele como pensamos sobre o machismo. Até considerarmos o racismo não como apenas uma falha pessoal, mas como o ar que respiramos. Quantas imagens de corpos negros sendo jogados no chão eu já absorvi? Quantas fotografias de prisões cheias de pessoas negras eu já vi? Quantas piadas racistas já engoli? Somos soterrados por histórias e imagens feitas para nos convencer de que homens negros são perigosos, mulheres negras são dispensáveis, que corpos negros valem menos que corpos brancos. Essas mensagens estão no ar, e nós simplesmente as inspiramos. Temos que decidir que admitir nosso envenenamento pelo racismo não é uma falha moral — mas negar que temos esse veneno em nós certamente é.

A revelação precisa vir antes da revolução. Ficar sóbrio — de bebida, do patriarcado, da supremacia branca — é um pouco como engolir a pílula azul e aos poucos observar a matrix invisível e meticulosamente construída em que vivemos se tornar visível. Para mim, o processo de desintoxicação da bebida incluiu perceber a matriz da cultura de consumo e a lavagem cerebral que ela fez em mim, para me fazer crer que minha dor poderia ser mitigada pelo dinheiro. Me desintoxicar do meu distúrbio alimentar significou ver a teia do patriarcado que me treinou a acreditar que eu não podia sentir fome ou ocupar espaço no mundo. E me desintoxicar do racismo está me fazendo abrir os olhos para a elaborada teia da supremacia branca que existe para me convencer de que eu sou melhor que negros, latinos e outras minorias étnicas.

Nos Estados Unidos, não existem dois tipos de pessoa: racistas e não racistas. Existem três tipos de pessoa: as envenenadas pelo racismo e que ativamente escolhem espalhá-lo, as envenenadas pelo racismo e que ativamente escolhem se desintoxicar, e as envenenadas pelo racismo que negam sequer a existência dele dentro de si.

Decidi que as pessoas que me chamaram de racista estavam certas.

E erradas.

Eu sou o segundo tipo de pessoa. Uma mulher branca que chegou à conclusão de que o motivo pelo qual as pessoas me chamam de racista quando decido falar sobre o racismo é porque estou colocando a cara a tapa e assumindo que tenho isso dentro de mim. Pelo que falo e pelo que não falo, pelo meu modo de falar, eu exponho meu racismo interior. O que as pessoas estão vendo e apontando em mim é a verdade.

Cada pessoa branca que se coloca e diz a verdade — porque é seu dever como membro da nossa família humana — vai ser chamada de racista. Ela precisará aceitar que os outros vão discordar disso. E com todo o direito. Ela precisará aprender a resistir à raiva dos outros, sabendo que muito dessa raiva é verdadeira e real e necessária. Ela vai ter que aceitar que um dos privilégios que está deixando queimar é seu conforto emocional. Vai ter que se lembrar de que ser chamada de racista não é a pior coisa do mundo. A pior coisa é esconder seu racismo para permanecer segura, saudável, amada e confortável enquanto outros estão sofrendo e morrendo. Há coisas piores do que ser criticada — ser covarde, por exemplo.

Tenho medo de colocar esses pensamentos em um livro que só vai estar nas mãos de alguém daqui a um ano. Sei que vou ler isso mais tarde e ver o racismo nas minhas palavras que não consigo ver neste momento. Mas então penso nas palavras da Dra. Maya Angelou: "Faça o melhor que puder até saber mais. Então, quando souber mais, faça melhor." Fazer o melhor que podemos agora é uma coisa ativa, assim como saber mais. Não aparecemos e então esperamos que magicamente saibamos mais. Aparecemos e então, quando somos corrigidos, continuamos trabalhando. Ouvimos com atenção para sabermos mais da próxima vez. Procuramos nossos professores para sabermos mais da próxima vez. Deixamos nossas ideias sobre como somos bons e temos boas intenções queimarem para podermos nos tornar melhores da próxima vez. Aprender a saber mais é um compromisso. Só vamos saber mais se continuarmos a desaprender.

Então me comprometo a participar com uma humildade profunda e fazendo o melhor que posso. Vou continuar errando, porque é o mais perto que consigo chegar de acertar. Quando me corrigirem, vou permanecer de cabeça aberta e aprendendo. Não porque quero ser a pessoa mais politicamente correta do planeta, mas porque as pessoas estão perdendo seus filhos para o racismo, e não existe criança que não seja responsabilidade de todos. O racismo oculto está destruindo e acabando com vidas. Está fazendo policiais matarem homens negros três vezes mais do que homens brancos. Está fazendo políticos limitarem investimentos em água potável e envenenarem crianças. Está fazendo médicos permitirem que mulheres negras morram no parto de três a quatro vezes mais do que brancas. Está fazendo profissionais da educação suspenderem e expulsarem alunos negros três vezes mais do que estudantes brancos. Está fazendo juízes prenderem usuários de drogas negros quase seis vezes mais do que usuários de drogas brancos. E, por causa da minha complacência com esse sistema que desumaniza outros, ele está me desumanizando. O fato de que esse veneno do racismo nos foi inculcado pode não ser nossa culpa, mas tirá-lo de nós certamente é nossa responsabilidade.

Então, quando chegar o momento — seja na minha família, na minha comunidade ou no meu país —, quando a energia mudar e me perguntarem: "Você consegue imaginar como a gente pode estar contribuindo para a nossa doença?" Eu quero permanecer presente, quero sentir, imaginar, ouvir, trabalhar. Quero me virar do avesso para fazer o ar circular.

Perguntas

Recentemente eu estava apresentando um evento no Meio-Oeste. Havia em torno de mil mulheres na plateia, uma meia dúzia de homens, alguns bebês gorgolejantes. Depois que abrimos para as perguntas, percebi alguém levantar a mão lentamente no fundo do salão. Um assistente correu até lá, se aproximou e pediu para a dona da mão ficar de pé. Uma mulher de cabelo grisalho curto e expressão gentil e séria, com rugas profundas, se levantou devagar. Ela usava um suéter com a bandeira dos Estados Unidos e a palavra VOVÓ escrita com tinta em relevo. A mão dela tremia ao segurar o microfone. Eu me apaixonei por ela imediatamente. Ela disse:

— Oi, Glennon. Acompanho seu trabalho faz dez anos e vim fazer uma pergunta que tenho medo de fazer em qualquer outro lugar. Eu estou... confusa. Meu sobrinho agora é minha sobrinha. Eu adoro o menino... Perdão, menina. Minha neta foi para o baile com um menino ano passado, e com uma menina este ano. E agora... Você também é gay? Não quero ofender ninguém, mas é que... por que todo mundo é gay assim de repente?

O salão ficou muito silencioso. Um mar de cabeças que estava virado para a mulher lentamente se voltou para mim. Olhos arregalados. Senti o estresse coletivo. Dela, meu, de todos. (Ah, meu Deus, isso foi ofensivo? Eu falei errado? A Glennon vai ficar chateada? Mas eu realmente *não sei* por que todo mundo é gay assim de repente!) Todos estavam preocupados com a possibilidade de o evento estar indo por água abaixo, mas eu sabia que finalmente estávamos chegando a algum lugar. Abençoados sejam os corajosos o suficiente para fazer perguntas desconfortáveis, pois eles nos despertam e nos fazem seguir em frente.

Eu falei:

— Obrigada por fazer uma pergunta que a maioria das pessoas tem medo de admitir que tem! Perguntas não respondidas se tornam preconceitos. Sua sobrinha e sua neta têm sorte de ter você. Pode me dizer seu nome?

— Joanne.

— Certo. Eu sei por que todo mundo virou gay assim de repente. São aqueles malditos transgênicos, Joanne.

Uma onda de risadas aliviadas tomou a igreja inteira. Algumas mulheres riram tanto que lágrimas rolavam pelo rosto enquanto passávamos por um gigantesco batismo coletivo e orgânico. Quando as risadas pararam, eu sugeri que todos respirássemos fundo juntos. Foi tão bom rir e depois respirar fundo juntos. As coisas não precisam ser sempre assustadoras, afinal. Essa é a vida, simplesmente, e nós somos só pessoas tentando entender umas às outras. Tentando se entender. Depois daquela respiração, eu falei algo parecido com o seguinte:

Existem forças selvagens e misteriosas dentro dos seres humanos e entre eles, e nunca fomos capazes de entender. Forças como a fé. Como o amor. Como a sexualidade. Nós ficamos desconfortáveis com nossa inabilidade de compreender ou controlar esses mistérios.

Então pegamos nossa fé selvagem — o fluxo misterioso, indefinível e sempre em mutação entre seres humanos e o divino — e a embalamos em religiões.

Pegamos a sexualidade selvagem — o fluxo misterioso, indefinível e sempre em mutação entre seres humanos — e a embalamos em identidades sexuais.

É como água em um copo.

Fé é água. A religião é o copo.

Sexualidade é água. A identidade sexual é o copo.

Nós criamos esses copos para tentar controlar forças incontroláveis.

Então dizemos para as pessoas: escolha um copo — hétero ou gay.

(*Só para você saber, escolher o copo gay provavelmente vai fazer você ficar desprotegido pela legislação, ser excluído pela comunidade e ser banido por Deus. Escolha com cuidado.*)

Então as pessoas tentaram fazer caber seus eus imensos e maravilhosos nesses copinhos apertados e arbitrários, porque isso era o esperado. Muitos viveram vidas miseráveis, se sufocando aos poucos conforme prendiam a respiração para conseguir se ajustar.

Em algum lugar, em algum momento, alguém — sabe-se lá por que motivo miraculoso e destemido — finalmente enfrentou seu dragão. Ela decidiu confiar no que sentia, saber o que sabia e ousou imaginar uma ordem invisível em que poderia ser livre. Ela se recusou a continuar se contendo. Decidiu se virar do avesso e deixar queimar. Ela ergueu a mão e disse: "Esses rótulos não servem para mim. Eu não quero me enfiar em nenhum desses copos. Para mim não é exatamente assim que funciona. Eu ainda não sei bem o que sou, mas não é isso."

Outra pessoa ouviu aquela primeira corajosa e sentiu uma descarga elétrica de esperança correndo nas veias. Ele pensou: *Espera. E se eu não estiver sozinho? E se eu não estiver errado? E se o sistema de copos estiver errado?* Ele sentiu a mão se erguer, a voz se erguer e disse: "Eu também!" Então outra pessoa levantou a mão devagar, e depois mais outra, até que houvesse um mar de mãos, algumas trêmulas, outras em punho — uma reação em cadeia de esperança, verdade e liberdade.

Eu não acho que ser gay seja contagioso, Joanne. Mas tenho certeza de que ser livre é.

Em defesa da liberdade, nós acrescentamos mais copos. Dissemos: "Certo, entendi. Esses copos não servem. Então, aqui está um copo de bissexual para você! E para você, que tal um copo de pansexual?" Continuamos criando novos copos com novos rótulos para cada letra do LGBTQ, até parecer que acabaríamos usando o alfabeto inteiro. Era melhor. Mas ainda não exatamente certo. Alguns desses copos ainda tinham menos direitos e mais dificuldades. E algumas pessoas, como eu, ainda não conseguiam encontrar um copo em que coubessem.

Meu chute é que as pessoas sempre estiveram no espectro dos cinquenta tons de gay. Eu me pergunto se, em vez de acrescentar outros copos, a gente não deveria parar de tentar conter as pessoas neles. Talvez um dia sejamos capazes de nos livrar definitivamente do sistema de copos. Fé, sexualidade e gênero são coisas fluidas. Sem copos — só mar.

Mas abrir mão de estruturas pode ser desconfortável e assustador. Essa liberdade estrondosa é assustadora porque de início parece caótica. Pronomes e banheiros e *meninas* levando meninas para o baile, meu Deus! Mas "progresso" simplesmente é um perpétuo desfazer de sistemas que não são mais verdadeiros o suficiente para então criar novos sistemas que são uma estrutura melhor para as pessoas *como realmente são*. Afinal, as pessoas não estão mudando. Mas, pela primeira vez, elas têm liberdade suficiente para *parar* de mudar quem são. Progresso é a aceitação do que é e do que sempre foi. Progresso é sempre um retorno.

Talvez a gente possa parar de se esforçar tanto para entender o incrível mistério da sexualidade. Em vez disso, poderemos simplesmente ouvir a nós mesmos e aos outros com curiosidade e amor, sem medo. Podemos simplesmente deixar as pessoas serem quem são, e podemos acreditar que, quanto mais livre uma pessoa é, melhor todos nós ficamos. Talvez nosso entendimento da sexualidade possa se tornar tão fluido quando a própria sexualidade. Temos que lembrar que, não importa o quão inconveniente seja para nós permitir que as pessoas emerjam de seus copos e fluam, vale a pena. Nossa coragem de estarmos confusos, abertos e amorosos vai salvar vidas.

Talvez coragem não seja só se recusar a ter medo de nós mesmos, mas também se recusar a ter medo dos outros. Talvez a gente possa parar de tentar encontrar meios-termos e deixar todo mundo ser mar. Já somos, na verdade.

Let it be.

Permissões

Uma organização cristã fundamentalista recentemente anunciou que eu tinha sido excomungada da "igreja evangélica". Descobri isso e achei engraçadíssimo. Me senti o Kramer, de *Seinfeld*, quando o chefe tenta demiti-lo de um trabalho que, na verdade, ele nunca teve. "Você não pode me demitir", diz Kramer, confuso e desafiador. "Eu nem trabalho aqui!"

Estava falando com uma amiga sobre isso e ela disse:

— É horrível. Por que eles não entendem que você *nasceu assim*? Você não pode evitar! É muito cruel punir você por algo que você não é capaz de mudar.

Huuuuuuum, pensei. *Não é exatamente isso.*

Às vezes dizemos coisas que acreditamos serem amorosas, mas que na verdade revelam nosso condicionamento.

Coisas que você *não pode* evitar são coisas que *gostaria* de evitar se pudesse.

Se pudesse mudar minha sexualidade, eu certamente não o faria. Jesus Cristinho: eu amo dividir minha vida com uma mulher. Amo como nós nos esforçamos ao máximo para compreender uma à outra e como nenhuma de nós desiste até chegar lá. Amo que já nos entendemos tão bem, porque somos duas mulheres tentando nos libertar das mesmas jaulas. Amo como nossa vida juntas é uma conversa eterna que pausamos só para dormir.

Amo fazer sexo com a minha esposa. Amo a insinuação nos toques e amo o momento em que nos entreolhamos e decidimos. Amo como nós entendemos o corpo uma da outra e amo o toque de veludo da pele dela. Amo a suavidade, a intensidade, a paciência e a generosidade do durante, e amo o depois — aquele tempo descolado do tempo — em que ficamos deitadas nos braços uma da outra em silêncio, sorrindo para o teto com alívio e gratidão. Amo como uma de nós inevitavelmente dá uma risadinha e diz: *Essa é mesmo a nossa vida?*

Tive um casamento com um homem e um casamento com uma mulher. O casamento com alguém do mesmo sexo parece muito mais natural, porque não há essa tentativa constante de cruzar a ponte entre dois gêneros que foram estimulados pela sociedade a amar e viver de formas tão diferentes. Minha esposa e eu já estamos no mesmo lado dessa ponte. Estar casada com Abby é como chegar em casa depois de uma jornada fria e exaustiva. Ela é a lareira acesa, o tapete felpudo aos meus pés descalços, o sofá em que me jogo, a manta com que me cubro e o jazz que me faz estremecer até quando estou toda coberta.

O que quero dizer é o seguinte: e se eu não nasci assim, afinal? E se eu me casei com Abby não só porque sou gay, mas porque sou *esperta*? E se eu *tiver* escolhido minha sexualidade e meu casamento e essas forem simplesmente as decisões mais verdadeiras, mas sábias, mais belas, mais íntegras, mais divinas que tomei na vida? E se eu tiver encarado o amor pelo mesmo gênero como uma escolha muito boa mesmo — simplesmente uma ideia *brilhante*? Algo *altamente recomendado*?

E se eu exigir liberdade não porque "nasci assim" e "não posso evitar", mas porque posso fazer o que escolher com meu amor e meu corpo, e mudar de ideia de uma no para o outra e de um momento para o outro, porque sou uma mulher adulta que não precisa de desculpa para viver do jeito que quiser e amar quem quiser?

E se eu não precisar da sua permissão por já ser livre?

Concessões

Recentemente, eu estava no sofá com Abby e as crianças vendo um dos nossos programas favoritos. Durante uma cena intensa, ficou claro que a filha adolescente da família ia contar aos pais que era gay. Eles estavam de pé em volta da ilha da cozinha e ela disse:

— Tenho que contar uma coisa para vocês. Eu gosto de meninas.

Na pausa que se seguiu, os pais na TV e nós cinco no sofá prendemos a respiração.

A mãe segurou a mão da filha e respondeu:

— Nós amamos você...

— Não diz isso não diz isso não diz isso... — eu sussurrei.

— ... não importa o quê.

Droga. Ela disse.

Eu sabia que o seriado estava tentando ser progressista, provar que os pais aceitavam a homossexualidade da filha tanto quanto aceitariam se ela fosse hétero. Mas eu me perguntei se, caso aquela menina tivesse acabado de falar para os pais que gostava de meninos, a mãe teria falado "Nós amamos você, não importa o quê"? É claro que não. Porque "não importa o quê" é o que a gente diz quando alguém nos decepciona.

Se meu filho fosse pego colando em uma prova, eu o deixaria de castigo e depois o asseguraria que o amo, não importa o quê. Se minha filha me dissesse que roubou um banco, eu seguraria sua mão e diria que a amo, não importa o quê. O "não importa o quê" deixa implícito que, embora meu filho tenha feito algo que não corresponde às minhas expectativas, meu amor ainda é forte o bastante para abraçá-lo.

Quando se trata da identidade dos meus filhos, não quero ser uma Mãe das Expectativas. Não quero que meus filhos lutem para corresponder a uma lista arbitrária de objetivos pré-concebidos que criei para eles. Quero ser uma Mãe de Caça ao Tesouro. Quero encorajar meus filhos a passarem a vida cavando, descobrindo mais e mais sobre quem já são, e então dividindo o que descobrirem com quem tiver a sorte de ter a confiança deles. Quando meu filho descobre uma pedra preciosa dentro de si e a mostra para mim, quero arregalar os olhos, perder o fôlego e aplaudir. Em outras palavras: se minha filha me dissesse que é gay, eu a amaria não apesar disso, e sim por causa disso.

E se ser pai e ser mãe tiverem menos a ver com dizer aos nossos filhos quem deveriam ser e mais com perguntar a eles, várias e várias vezes, para sempre, quem eles já são? Então, quando nos contarem, podemos comemorar, em vez de só aceitar.

Não é: eu te amo, não importa a que expectativas minhas você corresponde ou não.

É: minha única expectativa é que você se torne quem é. Quanto mais profundamente eu conheço você, mais beleza vejo.

Se alguém lhe diz quem é, considere sua sorte de receber esse presente.

Não responda com um aviso de despejo, uma permissão ou um discurso de derrota.

Desça do pedestal de Deus.

Arregale os olhos com assombro e aplauda com vontade.

Nós

para Abby

Esta noite eu e você estamos em uma sacristia, em algum lugar no Texas. Estamos conversando antes que eu levante para falar com o público que aguarda. Você não gosta desses lugares amplos e cheios de eco, mas me acompanha mesmo assim. Você se senta no primeiro banco e me ouve falar sobre Deus e os palpites que tenho sobre Ela.

Você acha que estou errada de acreditar que existe Deus. Mas é por isso que você me ama e precisa de mim. Você pega minha fé emprestada como pegamos emprestada a rede de Wi-Fi dos vizinhos.

Essa pastora disse algo que fez você se sentir segura. Você baixou os olhos para as mãos e disse:

— Não me sinto confortável em igrejas. Desde pequena eu já sabia que era gay. Então precisei escolher entre a igreja, minha mãe e Deus… e eu mesma. Eu escolhi a mim.

— É isso aí — disse a pastora, pigarreando.

Eu sorri. Mas "É isso aí" não era bem o que queria dizer.

Eu me virei para você. Segurei sua mão. Disse:

— Querida, espera. Sim. Quando você era pequena, seu coração se afastou da igreja para se proteger. Você permaneceu inteira, em vez de deixar as outras pessoas desmembrarem você. Você se segurou ao que nasceu para ser, em vez de se contorcer para caber em quem lhe disseram para ser. Você permaneceu honesta consigo mesma, e não se abandonou.

"Quando você fechou seu coração para aquela igreja, *você fez isso para proteger Deus em você*. Fez isso para proteger seu eu selvagem. Você pensou que essa decisão tornava você uma pessoa ruim, mas ela na verdade transformou você em uma pessoa santa.

"Abby, o que estou tentando dizer é que, quando era pequena, você não escolheu a si em vez de escolher Deus e a igreja. *Você escolheu a si e a Deus em vez da igreja.* Quando você escolheu a si, escolheu Deus. Quando saiu da igreja, você levou Deus com você. Deus está em você, Abby.

"E hoje, eu, você e Deus estamos só visitando a igreja. Nós três voltamos para uma visita, para oferecer às pessoas aqui esperança, contando histórias sobre pessoas corajosas como você, que lutaram a vida toda para permanecerem inteiras e livres como Deus as fez. Quando acabarmos aqui, nós duas vamos para casa, e Deus seguirá com a gente."

Eu achava que você já tinha me olhado de todas as formas possíveis. Mas o jeito com que está fazendo isso agora, nessa sacristia, é novo. Olhos bem abertos. Vermelhos e cheios de lágrimas. A pastora desapareceu quando você me olhou assim. Só existimos eu, você e Deus nesse momento.

— Uau — disse você.

Como daquela vez que seu cordão com o G ficou com um nó.

Você ficou ali, no pé da cama, reclamando.

Ameaçando jogá-lo fora.

Eu pedi a corrente. Segurei-a na palma da mão,

Quase invisível — um ouro branco tão delicado que era quase impossível.

Você saiu.

Eu lutei com o nó por um tempo.

Fiquei impressionada com a minha paciência.

Então — um puxão no lugar certo —, o nó se desfez.

Você voltou para o nosso quarto,

Eu ergui o colar, orgulhosa.

— Uau — disse você.

Você se abaixou, e eu prendi o colar ao seu redor.

Beijei sua bochecha.

Que nós possamos pousar ideias mais elegantes no pescoço das nossas crianças.

Adesivos

Quando eu era uma mãe jovem, exausta, isolada e coberta de crianças, recebi um cartão de uma igreja local oferecendo serviço gratuito de babá durante a missa. Meu então marido e eu comparecemos no domingo seguinte e encontramos café da manhã, música, um berçário, discursos inspiradores e casais que nos davam boas-vindas em todo lugar. Essa igreja tinha identificado todos os desafios na vida de uma jovem família e resolvido-os por uma hora. Parecia o paraíso. No começo.

Então, um domingo, o pastor começou a discutir os "pecados" da homossexualidade e do aborto como se fossem pilares nos quais aquela igreja fosse construída. Senti uma onda de calor. Depois do culto, entrei em contato com o pastor e marquei uma reunião. Perguntei a ele:

— Se a sua igreja é baseada em Jesus, que falou incansavelmente sobre órfãos e viúvas, desmilitarização, imigrantes, sobre doentes, excluídos e pobres, por que você escolheu o aborto e a homossexualidade para fincar o pé?

Depois de muito discutir sem resultado, ele olhou para mim, suspirou e sorriu. Disse:

— Você é uma mulher inteligente. O que está dizendo faz sentido… na lógica do mundo. Mas a lógica de Deus não é a lógica do mundo. Você não deve se basear na sua própria compreensão. Seu coração parece bom, mas o coração não é confiável. A fé tem a ver com confiança.

Não pense. Não sinta. Não saiba. Desconfie do seu próprio coração e da sua própria mente, e confie em nós. Isso é fé.

O pastor queria que eu acreditasse que confiar *nele* era confiar em Deus. Mas ele não era minha conexão com Deus. Meu coração e minha mente são minhas conexões com Deus. Se eu ignorasse isso, estaria confiando nos homens que lideram a igreja *em vez de confiar em Deus*. Estaria dependendo da compreensão *deles*.

A coisa que mais me faz pensar e questionar é quando um líder me diz para não pensar e questionar. Não vou passivamente terceirizar a minha fé e a fé dos meus filhos. Sou mãe e tenho responsabilidades. Para com todas as crianças, não só as minhas.

Quando o ódio e a polarização se espalham pelas instituições religiosas, temos três opções:

1. Permanecer quietos, o que significa que concordamos.
2. Desafiar o poder abertamente e se esforçar ao máximo em busca de mudanças.
3. Pegar nossa família e ir embora.

Mas não existe mais discordar em silêncio enquanto alguém de cima do púlpito cospe veneno em nossos filhos.

Muitos pais se aproximaram de mim e perguntaram: "Minha filha acabou de me contar que é gay. Frequentamos essa igreja faz dez anos. Como ela deve ter se sentido ouvindo que nossos líderes pensam dela e supondo que a mãe concorda? Como posso desfazer o que ela ouviu aqui? Como posso convencê-la de que eu nunca concordei com isso, e que ela é perfeita exatamente como é?"

As diretrizes sobre Deus que recebemos quando somos crianças ficam gravada em nosso coração. São muito difíceis de desaprender.

Todas as pessoas devem a si mesmas, às suas famílias e aos amigos, ao mundo, examinar o que aprenderam a acreditar, em especial se vão usar essas crenças para condenar os outros. Precisam se perguntar coisas como: "Quem se beneficia da minha crença nisso?"

Depois que aquele pastor me mandou parar de pensar, comecei a pensar ainda mais. Comecei a pesquisar. Acontece que a diretriz que ele estava tentando me repassar — "Uma boa cristã baseia sua fé na desaprovação de gays e do aborto" — começou a circular somente quarenta anos atrás. Em meados dos anos 1970, alguns homens ricos, poderosos, brancos e (aparentemente) heterossexuais estavam preocupados em perder o direito de segregar suas escolas particulares cristãs e ainda manter suas isenções fiscais. Esses homens começaram a sentir que seu dinheiro e poder estavam sendo ameaçados pelo movimento dos direitos civis. Para recuperar o controle, precisavam identificar uma questão que fosse emocional e chocante o suficiente para unir e agitar politicamente seus seguidores cristãos pela primeira vez.

Escolheram o aborto. Antes disso — seis anos depois da decisão da Suprema Corte americana que legalizou o aborto —, a posição das igrejas evangélicas era que a vida começava quando o bebê respirava pela primeira vez, ao nascer. A maioria dos líderes religiosos foi indiferente à decisão no caso *Roe vs. Wade*, e alguns foram até citados como favoráveis. Não mais. Eles escreveram uma nova diretriz, usando um recém-inventado e fingido ultraje, clamando por uma "guerra santa [...] para levar a nação de volta à sua posição moral que faz da América grande". Eles patrocinaram um encontro de 15 mil pastores — chamados de Távola Redonda Religiosa — para treinar ministros em como convencer suas congregações para votar em candidatos contra o aborto e contra os gays. Foi assim que disseminaram essa diretriz para ministros evangélicos, que passaram para os fiéis por todo o país. A diretriz dizia: "Para ser alinhado a Cristo, para ter valores familiares, para ser moral, a pessoas deve ser contra o aborto e pessoas gays e votar em candidatos antiaborto e antigays."

O candidato à presidência Ronald Reagan — que, como governador da Califórnia, tinha assinado uma das leis mais liberais em relação ao aborto do país — começou a usar a linguagem dessa nova diretriz. Os evangélicos começaram a apoiá-lo em peso e, pela primeira vez, votaram em bloco para eleger o presidente Reagan. A Direita Religiosa nascia. A face do movimento era a posição "em direito à vida e aos valores familiares" de milhões de pessoas, mas o sangue que corria em suas veias era o racismo e a ganância de uns poucos.

Foi assim que evangélicos brancos se tornaram a bancada mais poderosa e influente nos Estados Unidos e o combustível da máquina que é a supremacia branca. É assim que líderes evangélicos se livram da absurda hipocrisia de continuar cheios de dinheiro, armas, guerras e corrupção, racistas, misóginos, classicistas, nacionalistas, tudo isso dizendo falar em nome de um homem que dedicou sua vida a acabar com guerras, servindo órfãos e viúvas, curando os doentes, recebendo imigrantes, dando prioridade a mulheres e crianças, e dinheiro e poder aos pobres. Também é por isso que tudo que um candidato precisa fazer para ganhar o apoio dos evangélicos é dizer ser antiaborto e antigay — mesmo que seja um candidato que odeia e abusa de mulheres, que rouba dinheiro e rejeita imigrantes, que incita o racismo e o preconceito, que tem uma vida que de todas as maneiras é a antítese do que Jesus ensinou. Jesus, a cruz, e a identidade "pró-vida" são só adesivos brilhantes que líderes evangélicos colocam em cima dos próprios interesses. Eles continuam forçando a mensagem: "Não pense, não sinta, não saiba. Só seja contra o aborto e contra os gays e continue votando. É assim que você vai viver como Jesus." Tudo que o diabo precisa fazer para vencer é convencer você de que ele na verdade é Deus.

Meus amigos evangélicos insistem que sua oposição ao aborto e à homossexualidade nasceu neles. Falam isso com sinceridade e certeza. Mas eu fico me perguntando... Todos nós acreditamos que nossas crenças religiosas foram escritas em nossos corações e nas estrelas. Nunca paramos para considerar que a maioria das diretrizes nas quais baseamos nossas vidas na verdade foram escritas por homens altamente motivados.

Não sei se ainda me considero cristã. Esse rótulo sugere uma certeza que não tenho. Sugere um desejo de converter outras pessoas, que é a última coisa que quero fazer. Sugere um pertencimento exclusivo, e não sei se pertenço a qualquer lugar hoje em dia. Parte de mim quer arrancar esse rótulo, deixá-lo para lá, e tentar encontrar cada pessoa, alma com alma, sem qualquer camadas entre nós.

Mas eu me vejo com dificuldade de abrir mão por completo, porque lavar minhas mãos da história de Jesus é abandonar algo lindo para usurpadores gananciosos. Seria como render o conceito de beleza para a indústria da moda, ou a mágica da sexualidade para os vendedores de pornografia da internet. Quero beleza, quero sexo, quero fé. Não quero a versão venenosa e acomodada que os usurpadores criaram dessas coisas. Nem quero me identificar com eles.

Então digo o seguinte: continuo cativada pela história de Jesus. Não "história", como se fosse revelar o que aconteceu tanto tempo atrás, mas como poesia, feita para ilustrar uma ideia revolucionária, poderosa o suficiente para curar e libertar a humanidade agora.

Houve um tempo na Terra — como qualquer outro tempo na Terra — em que a humanidade se virou contra si mesma. Alguns acumulavam fortunas inimagináveis enquanto crianças passavam fome. Pessoas estupravam e roubavam e escravizavam e faziam guerras por dinheiro e poder.

Havia algumas poucas (sempre há algumas poucas) sábias o bastante para ver que essa ordem das coisas era injusta, falsa e feia. Elas viam que matar por dinheiro é absurdo porque o que existe dentro de cada pessoa é mais valioso que ouro. Elas viam que escravidão e hierarquia são perversas porque ninguém nasce mais merecedor de liberdade e poder do que ninguém. Elas viam que violência e ganância destroem os poderosos tanto quanto destroem suas vítimas: porque desonrar a humanidade dos outros significa matar a nossa própria.

Elas viam que a única esperança de salvação da humanidade era uma ordem das coisas que fosse mais verdadeira e mais bela.

Elas se perguntaram:

Que tipo de história poderia ajudar as pessoas a verem além dessa mentira ensinada de que alguns valem mais do que outros?

Que tipo de história poderia devolver as pessoas ao seu estado selvagem — ao que elas conheciam do amor antes que fossem treinadas para temer umas às outras?

Que tipo de história poderia inspirar as pessoas a se revoltarem e viverem além de uma máquina hierárquica dominada pelos religiosos que estava matando-as?

Essa foi a ideia delas:

Vamos repensar as histórias que contamos sobre Deus. Vamos nos permitir imaginar que Deus não é tão parecido com os homens que controlam o mundo. Vamos imaginar, em vez disso, que Deus é como a pessoa que esses sujeitos acabaram de matar. Vamos imaginar Deus como um bebê vulnerável, nascido de uma mãe solteira pobre, entre um grupo odiado pela elite política e religiosa. Ele era o mais baixo de todos na época. Então elas apontaram para ele. Este aqui é Deus, disseram.

Se esses sábios contadores de histórias vivessem nos Estados Unidos atuais, poderiam apontar para uma mulher trans pobre e negra, ou para uma criança em busca de asilo, sozinha em um centro de detenção, e dizer: "Esta aqui é Deus."

Esta aqui — a pessoa no círculo mais afastado nas hierarquias que criamos sobre quem importa. Esta aqui — a mais distante de quem acreditamos estar no centro.

Esta aqui é feita da mesma carne, do mesmo sangue, do mesmo espírito.

Quando ferimos essa pessoa, ferimos a nós mesmos.

Esta aqui é Uma de nós.

Esta aqui somos Nós.

Então vamos protegê-la. Vamos presenteá-la e vamos nos ajoelhar diante dela. Vamos lutar para que ela e a família dela tenham todas as coisas boas que queremos para nós e para as nossas famílias. Vamos amar esta aqui como amamos a nós mesmos.

A ideia da história não era dizer que Esta Aqui é *mais* Deus que o restante. A ideia é que, se conseguimos encontrar o bem naqueles que fomos treinados a ver como maus, se conseguimos encontrar valor naqueles que fomos condicionados a ver como desprezíveis, se conseguimos encontrar nós mesmos naqueles que fomos doutrinados a ver como outro, então não seremos capazes de feri-los. Quando paramos de feri-los, paramos de nos ferir. Quando paramos de nos ferir, começamos a nos curar.

A ideia de Jesus é que a justiça lança a rede mais ampla possível para que todo e cada um de nós esteja dentro dela. Então não existe outro — só existe Nós. Dentro de uma rede estamos livres das jaulas do medo e do ódio. A ideia revolucionária de que todo e cada um de nós seja ao mesmo tempo livre e acolhido: essa é a nossa salvação.

Deusas

Glennon, você se refere a Deus como "ela" — por que acredita que Deus é mulher?

Eu não acredito. Acho ridículo imaginar Deus como algo que poderia ter qualquer gênero. Mas enquanto a expressão de Deus como mulher for inimaginável para muitos, enquanto a expressão de Deus como homem parece perfeitamente aceitável — e enquanto as mulheres continuarem a ser desvalorizadas e abusadas e controladas neste mundo —, vou continuar falando assim.

Conflitos

Recebi um e-mail recentemente de uma antiga conhecida daquela igreja que parei de frequentar.

O e-mail dizia: "Posso perguntar uma coisa? Eu sei que você e Abby se amam muito. É uma coisa incrível. Ao mesmo tempo, eu ainda acredito que ser gay é errado. Quero conseguir amar vocês incondicionalmente… mas para isso eu teria que abandonar minhas crenças. O que devo fazer com esse… *conflito de Deus*?"

Eu entendi. Ela queria dizer: "Quero ter a liberdade de amar vocês, mas estou enjaulada pelas minhas crenças."

Minha resposta foi:

"Em primeiro lugar, obrigada por saber que você tem uma opção. Obrigada por não falar: *Eu amo vocês, mas…* Nós sabemos que o amor não tem 'mas'. Se você quer que eu mude, então não me ama. Se você gosta de mim, mas também acredita que vou queimar no inferno, você não me ama. Se você me deseja o melhor, mas vota contra a minha família ser protegida pela lei, você não me ama. Obrigada por entender que me amar como a si mesma significa querer para mim e para a minha família todas as coisas que você quer para si e para a sua família. Qualquer coisa menos do que isso é menos do que amor. Então, sim. Eu concordo que você tem uma escolha a fazer. Você tem que escolher entre me amar e manter suas crenças. Obrigada por ser intelectualmente honesta em relação a isso.

"Segundo: eu entendo esse conflito porque passei por ele, ainda estou passando. Por um tempo eu tinha medo, porque achei que conflito de Deus significava que eu estava desafiando Deus. Agora sei que era Deus dentro de mim, desafiando a religião. Era o meu eu verdadeiro despertando e dizendo: *Espera. Essa coisa que me foi ensinada sobre Deus, sobre mim, sobre os outros... não combina com o que sei, em meu âmago, sobre o amor. O que faço? Rejeito o que sei bem dentro de mim ou o que aprendi a crer?*

"Só posso dizer a você o que eu descobri por mim mesma.

"Retornar para nós mesmos é confuso no início. Não é tão simples quanto só ouvir as vozes dentro de nós. Porque às vezes as vozes dentro de nós, que supomos falarem a verdade, são só as vozes de seres humanos que nos disseram no que acreditar. Muitas vezes a voz interna que nos diz quem Deus é e o que Deus aprova não é de Deus, é a nossa doutrinação. É um eco da voz de um professor, um pai, um pastor — alguém que disse representar Deus para nós. Muitas dessas pessoas tinham boas intenções, e outras só queriam nos controlar. Seja como for, nenhuma delas foi indicada por Deus como seu representante na Terra. Nenhuma delas tem Deus dentro de si mais do que você. Não existe igreja que seja dona de Deus. Não existem guardas. Nada é tão simples assim. Não existe terceirização da sua fé. Só existe você e Deus.

"Um dos trabalhos mais difíceis e importantes da nossa vida é aprender a separar as vozes de professores da verdade, propaganda da verdade, medo do amor e, neste caso: as vozes dos autoproclamados representantes de Deus da própria voz de Deus.

"Quando tiver que escolher entre algo que você Sabe e algo que outras pessoas ensinaram você a acreditar, escolha o que já Sabe. Como Whitman disse: 'Reexamine tudo que aprendeu na escola, na igreja ou em qualquer livro, e ignore o que insultar sua alma.'

"Ter a coragem de ignorar o que insulta sua alma é uma questão de vida ou morte. Se aqueles que dizem falar em nome de Deus ou da verdade conseguirem convencer você a *acreditar em vez de Saber*, a viver com base nas regras deles e não nas suas raízes, a confiar nas vozes de intermediários em vez de na vozinha quieta dentro de você… então eles controlam você. Se conseguirem fazer com que não confie em si mesma — que pare de sentir, negue saber, deixe de imaginar — e, em vez disso, dependa somente deles, então conseguem fazer com que você *aja* contra sua própria alma. Quando isso acontece, eles conseguem que você os siga cegamente, vote em quem dizem, condene os outros por eles, até mate por eles — tudo em nome de Deus, que está constantemente sussurrando dentro de você: *Não é exatamente isso.*

"Talvez o conflito de Deus não tenha só a ver com Deus. Talvez *seja* Deus. Ouça com atenção."

Rios

A boa arte se origina não do desejo de se exibir, mas do desejo de se exprimir. Boa arte sempre vem do nosso desejo desesperado de respirar, ser visto, ser amado. No dia a dia, estamos acostumados a só ver a camada externa e polida dos outros. A arte nos faz sentir menos solitários porque sempre vem do âmago desesperado do artista — e o âmago de todos nós é desesperado. É por isso que a boa arte é um alívio tão grande.

Muitas pessoas me dizem que ler o que escrevo é um alívio. O que sentem depois em geral é um desejo de responder à minha oferta contando suas histórias. Por muitos anos eu passava horas depois dos eventos ouvindo mulheres e mais mulheres que se aproximavam, tocavam meu braço e diziam: "Eu só preciso contar uma coisa..."

Depois de um tempo eu abri uma caixa postal e prometi às pessoas que, se elas escrevessem suas histórias, eu as leria. Milhares de cartas chegam toda semana. Tenho caixas de cartas empilhadas no meu quarto, no meu escritório. Imagino que vou continuar lendo cartas até os noventa anos. Algumas vezes por semana eu largo o celular, desligo o noticiário, me aconchego na cama e leio. É sempre um alívio imenso. Ah, sim. É assim que as pessoas são. Somos todos tão fodidos e tão mágicos. A vida é tão dolorosa e tão linda. A vida é *dolorinda*. Para todos nós. Agora me lembro. Se quiser se transformar em uma pessoa entorpecida e cínica, assista ao noticiário. Se quiser permanecer humana, leia cartas. Quando tentar entender a humanidade, procure relatos em primeira pessoa.

Certa noite, depois de passar horas lendo cartas com a minha irmã, olhamos para a pilha e pensamos: muitas dessas pessoas têm muito. Muitas não têm o suficiente. Todas desejam um propósito e uma conexão. Nós podemos ser a ponte entre elas. Decidimos começar a Together Rising. Foi assim que me tornei o que chamam de filantropa.

Desde que a Together Rising foi criada, em 2012, nossas cinco diretoras e voluntárias incríveis passaram noites e dias sem descanso conectando pessoas em sofrimento com todos os recursos ao nosso alcance: dinheiro, serviços, fraternidade, esperança. Como entramos em contato direto com todos que ajudamos, aprendemos em primeira mão que, em geral, as pessoas estão fazendo o melhor que podem. Mesmo assim, muitas não conseguem colocar comida na mesa ou dar os cuidados médicos que as mães doentes precisam ou manter o aquecimento ligado ou pagar o preço de um espaço seguro em que criar seus filhos. Toda noite vamos dormir pensando: por quê? Por que todas essas pessoas que estão se esforçando tanto... ainda assim sofrem tanto?

Então, um dia, eu li o seguinte:

Em determinado momento precisamos parar de simplesmente tirar as pessoas do rio. É preciso nadar contra a corrente e descobrir por que elas estão caindo na água.

— Arcebispo Desmond Tutu

Quando comecei a nadar contra a corrente, descobri que por trás dos grandes sofrimentos, em geral também há alguém lucrando muito. Agora, quando encontro alguém lutando para se manter na superfície, sei que primeiro tenho que perguntar: "Como posso ajudar você agora?" E então, quando a pessoa já está seca e a salvo, pergunto: "Que instituição ou pessoa se beneficia do seu sofrimento?"

Toda filantropa, se estiver prestando atenção, depois de um tempo se transforma em uma ativista. Se não, nos arriscamos a ficarmos codependentes do poder — salvando as vítimas do sistema enquanto o sistema recolhe os lucros, depois nos dá tapinhas nas costas em reconhecimento pelo nosso serviço. Nós nos tornamos os soldados rasos da injustiça.

Para evitar sermos cúmplices de quem está rio acima, temos que nos tornar pessoas do E/Ambos. Temos que nos comprometer a tirar nossos irmãos e irmãs do rio e também nos comprometer a subir as margens para identificar, confrontar e cobrar de quem está empurrando as pessoas rio adentro.

Ajudamos pais a enterrarem suas crianças, vítimas da violência armada. E subimos o rio para lutar contra a indústria armamentista e políticos que lucram com essas perdas.

Ajudamos mães criando suas famílias enquanto os maridos estão presos. E subimos o rio para enfrentar a injustiça do encarceramento em massa.

Ajudamos programas de recuperação para pessoas com vício em opiáceos. E subimos o rio para protestar contra o sistema que permite que grandes empresas farmacêuticas e médicos corruptos fiquem mais ricos toda vez que um jovem se vicia.

Ajudamos jovens LGBTQ sem teto dando abrigo e carinho. E subimos o rio para denunciar o preconceito baseado em religião, a rejeição familiar, e políticas homofóbicas que fazem com que jovens LGBTQ tenham duas vezes mais chances de acabar na rua do que seus amigos heterossexuais ou cisgêneros.

Ajudamos veteranos de guerra com dificuldades para conseguir o tratamento contra transtorno pós-traumático que merecem e precisam, e subimos o rio para confrontar o complexo militar-industrial, que é tão dedicado a mandar nossos soldados para a guerra e tão displicente ao abandoná-los quando voltam.

Se vamos criar um mundo mais verdadeiro e mais belo, temos que ser pessoas do E/Ambos. Vamos continuar tirando pessoas do rio para sempre. E todos os dias, vamos olhar rio acima e enfrentar quem quer que as esteja empurrando para a água.

Mentiras

Eu e minha amiga estávamos deitadas no sofá, impressionadas, rindo e chorando por tudo que deixamos queimar e tudo que reconstruímos nos últimos anos de nossa vida. Ela para de rir quando falo:

— E aí eu abandonei minha família.

Ela diz:

— Não diga isso. Não diga coisas sobre si mesma que não são verdade. Você não abandonou sua família. Nem por um momento. Você não abandonou nem seu marido, pelo amor de Deus. Você abandonou seu casamento, só isso. Foi isso que você deixou para trás. E era o que você tinha que deixar para trás para *criar* sua família verdadeira. Por favor, nunca mais quero ouvir você falando "Eu abandonei minha família". Tome cuidado com as histórias que você conta sobre si mesma.

Entregas

Sou uma mulher introvertida e sensível, o que significa que amo a humanidade, mas seres humanos são complicados para mim. Amo pessoas, mas não *pessoalmente*. Por exemplo, eu morreria por você, mas não, tipo... sairia para um café com você. Virei escritora para poder ficar em casa sozinha, de pijama, lendo e escrevendo sobre a importância de conexões e comunidades humanas. É uma existência quase perfeita. Só que, volta e meia, enquanto estou pensando, escrevendo, vivendo no meu lugar favorito — bem no fundo da minha própria cabeça —, algo impressionante acontece: um som, como uma sirene, atravessa minha casa. Eu congelo.

Levo um bom minuto para compreender: a sirene é a campainha. Uma *pessoa* está tocando a minha campainha. Saio correndo do meu escritório e encontro meus filhos também surpresos, paralisados, esperando minhas ordens sobre como reagir a essa invasão iminente. Nós nos encaramos e passamos em conjunto pelos cinco estágios do luto da campainha:

1. Negação: Isso não pode estar acontecendo. TODAS AS PESSOAS QUE DEVERIAM ESTAR NESSA CASA JÁ ESTÃO NESSA CASA. Será que foi a TV? A TV ESTÁ LIGADA?

2. Raiva: QUEM É QUE *FAZ UMA COISA DESSAS*? QUE TIPO DE AGRESSOR SEM LIMITES TOCA A CAMPAINHA DE ALGUÉM NO MEIO DO DIA?
3. Negociação: Ninguém se mexe, ninguém respira. Talvez a pessoa vá embora.
4. Depressão: Por quê? Por que nós? Por que isso? Por que a vida é tão ruim?
5. Aceitação: Mas que porcaria. Você — vocêzinha — é a nossa voluntária. Vista uma calça, aja normalmente e atenda a porta.

É dramático, mas a porta sempre é aberta. Se as crianças não estão em casa, até eu mesma atendo. É porque eu me lembro de que ser adulto exige que se abra a porta? Claro que não. Eu atendo a porta porque existe uma pontinha de esperança no meu coração de que, se abrir a porta, pode haver um pacote esperando por mim. Um pacote!

Quando fiquei sóbria, aprendi que sentimentos ruins são campainhas que me interrompem, me fazem entrar em pânico, mas que deixam um pacote interessante. A sobriedade é a decisão de parar de entorpecer e afastar sentimentos ruins e começar a abrir a porta. Então, quando parei de beber, comecei a deixar meus sentimentos me atrapalharem. Foi assustador, porque eu sempre supus que meus sentimentos fossem tão grandes e poderosos que permaneceriam ali para sempre e, no fim, me matariam. Mas meus sentimentos difíceis não permaneciam para sempre, e eles não me mataram. Em vez disso, eles vinham e iam, e depois me deixavam com algo que eu não tinha antes. Esse algo era *autoconhecimento*.

Sentimentos difíceis tocavam minha campainha e depois me deixavam um pacote cheio de informações novas em folha sobre mim mesma. Essa informação nova era sempre *exatamente* o que eu precisava saber sobre mim mesma para dar o próximo passo na minha vida com confiança e criatividade. Acontece que a coisa de que eu mais precisava estava no lugar de que eu fugira a vida toda: a dor. Tudo que eu precisava saber para *depois* estava dentro do desconforto do *agora*.

À medida que eu praticava permitir que meus sentimentos difíceis viessem e ficassem pelo tempo necessário, consegui me conhecer melhor. A recompensa por suportar esses sentimentos difíceis foi descobrir meu potencial, meu propósito e reconhecer as minhas pessoas. Sou imensamente grata. Não imagino uma tragédia maior do que permanecer para sempre desconhecida de mim mesma. Esse seria o maior autoabandono de todos. Então, parei de ter medo dos meus próprios sentimentos. Quando sentimentos difíceis tocam a campainha, visto minhas roupas de menina crescida e atendo a porta.

Raiva

Passei anos sentindo uma raiva profunda após descobrir a infidelidade do meu marido.

Ele fez tudo que poderia se pedir de uma pessoa que magoou outra. Pediu desculpas sinceras, começou a fazer terapia, teve uma paciência sem igual. Eu fiz todas as coisas certas também. Fiz terapia, rezei, me comprometi a tentar perdoá-lo. Às vezes, quando eu o observava brincando com as crianças, minha raiva passava e eu me sentia aliviada e esperançosa sobre nosso futuro. Mas toda vez que eu tentava ficar vulnerável, física ou emocionalmente, com ele, a raiva dominava meu corpo. Eu brigava com Craig, me afastava e mergulhava em mim mesma. Esse padrão de comportamento era exaustivo e deprimente para nós dois, mas eu não sabia o que mais fazer além de esperar o perdão que em algum momento receberia dos céus como recompensa pelo meu comprometimento com a dor. Eu supus que o perdão era uma questão de tempo.

Uma noite, eu e Craig estávamos sentados nas pontas do nosso sofá. Ele assistia à TV, feliz da vida, enquanto eu era consumida pela raiva em silêncio. Por algum motivo consegui mudar minha perspectiva e olhei para nós dois de longe. Lá estava eu, fumegando de ódio, e lá estava Craig, imperturbável e totalmente ignorante do meu sofrimento. Todo aquele fogo estava *em mim*. Nada nele. Pensei: *Como essa raiva pode ser sobre ele? Ele nem está sentindo.* De repente eu senti uma possessividade e uma proteção da minha própria raiva. Pensei: *Isso está acontecendo dentro do meu corpo. Se essa raiva está em mim, vou supor que é para mim.* Decidi parar de sentir vergonha e medo da minha raiva, parar de sentir vergonha e medo de mim mesma.

A partir daquele momento, sempre que a raiva surgia, eu pratiquei permanecer aberta e curiosa. Eu a aceitava. Deixava que permanecesse. Minha raiva e eu passamos um bom tempo juntas, ouvindo uma à outra. Eu perguntava à minha raiva coisas como: "O que você está tentando me dizer? Não sobre ele, mas sobre mim?" Comecei a prestar atenção aos padrões no meu corpo, porque meu corpo muitas vezes esclarece para mim o que minha mente está confusa e esperançosa demais para aceitar. Corpos não mentem, mesmo quando imploramos para que façam isso. Percebi que a raiva dominava meu corpo sempre que eu me abria emocional ou fisicamente para Craig. Minha raiva passava completamente quando eu o via com as crianças. Antes de eu começar a prestar atenção, achava que eu estava indecisa. Mas com o tempo comecei a perceber que minha raiva não era arbitrária, era muito específica. Minha raiva repetia: "Glennon, para você, intimidade familiar com Craig é seguro. Intimidade física e emocional, não."

Eu sabia disso. Meu corpo sabia disso. E eu estava ignorando o que sabia. Era por isso que estava com tanta raiva: *estava com raiva de mim mesma.* Foi Craig que traiu, sim, mas fui eu quem decidi, dia após dia, continuar casada, vulnerável e furiosa. Estava ignorando o que sabia, e estava punindo-o por me forçar a saber. Não havia nada que ele pudesse fazer para mudar o que eu sabia. Talvez a pergunta não fosse mais: "Como ele pôde fazer isso comigo?" E sim: "Como eu posso continuar fazendo isso comigo mesma?" Talvez, em vez de repetir eternamente "como ele pôde me abandonar?", eu tinha que perguntar "Por que eu abandono a mim mesma?"

Depois de um tempo, decidi parar de abandonar a mim mesma — o que significava honrar minha raiva. Não precisava provar a mais ninguém que me separar era certo ou errado. Não precisava mais justificar minha raiva. O que eu precisava fazer era perdoar o pai dos meus filhos. Eu consegui fazer isso assim que me divorciei dele.

Depois da reunião do divórcio, eu e Craig ficamos parados lado a lado em um elevador, assistindo aos números dos andares se acenderem um a um enquanto descíamos. Olhei para Craig e, pela primeira vez em anos, senti empatia verdadeira, ternura e carinho por ele. Mais uma vez conseguia ver o cara legal de quem eu gostaria de ser amiga. Senti um perdão verdadeiro. Isso aconteceu porque, pela primeira vez em anos, eu me senti segura. Eu tinha reconstruído meus limites. Tinha começado a confiar em mim mesma, porque tinha me tornado uma mulher que se recusa a abandonar a si mesma para manter uma paz falsa.

Tenho amigos que encontraram segurança e perdão duradouro dentro do casamento depois da infidelidade. O que vem depois de uma traição não pode ser uma luta, um contorcionismo para honrar alguma ideia arbitrária de certo ou errado. O que vem depois deve honrar quem somos. Temos que ignorar os "deveria" que existem do lado de fora e encarar o que é real dentro de nós. Se uma raiva constante é o que é real aqui, temos que encará-la — tanto por nós mesmos quanto pelo outro. Porque não é gentil manter quem não conseguimos perdoar por perto e puni-los para sempre. Se não conseguimos perdoar e seguir em frente, talvez seja necessário seguir em frente primeiro, e o perdão virá depois. Perdão não significa proximidade. Podemos dar à outra pessoa o presente do perdão e a nós mesmas o presente da segurança e da liberdade ao mesmo tempo. Quando as duas pessoas chegam a um lugar sem medo e sem punição, essa é uma despedida boa. Alívio da raiva não é um dom que recebemos; muitas vezes precisa ser forjado por nós mesmas.

A raiva traz informações importantes sobre qual dos nossos limites foi ultrapassado. Quando atendemos a porta e aceitamos esse pacote, começamos a nos entender melhor. Quando reconstruímos o limite que foi violado, honramos a nós mesmas. Quando nos conhecemos e nos respeitamos, vivemos com integridade, paz e poder — compreendendo que somos o tipo de mulher que será sábia e corajosa o bastante para cuidar de si mesma. É ótimo.

Ainda tem mais. Coisas ainda melhores vêm quando nos aprofundamos. Quando dizemos: "Certo. Compreendo que esse é o meu limite." Mas o que *é* um limite, afinal?

Um limite é a fronteira de uma das nossas crenças-raiz sobre nós mesmas e o mundo.

Somos como computadores, e nossas crenças são o software com que somos programados. Muitas vezes essas crenças são programadas em nós sem nosso conhecimento, pela nossa cultura, comunidade, religião e família. Embora não escolhamos esses programas subconscientes, eles é que mandam na nossa vida. Controlam nossas decisões, perspectivas, sentimentos e interações, e por isso determinam nosso destino. Nos tornamos aquilo em que nós que acreditamos. Não tem nada mais importante do que descobrir o que achamos ser realmente verdade sobre nós mesmos e nosso mundo — e nada nos ajuda a descobrir isso mais rápido do que examinar o que nos irrita.

Minha raiva pelo meu ex-marido era uma campainha insistente tentando me alertar de que um limite importante meu tinha sido cruzado. Meu limite tinha a ver com uma de minhas crenças-raiz: *Os valores mais importantes em um casamento são honestidade, lealdade e fidelidade, e quando isso acaba, não estou mais segura.*

Essa minha crença não é nem certa, nem errada. Crenças não têm nada a ver com uma moralidade universal objetiva, e sim com a moralidade específica e pessoal de cada um. Nesse caso, eu decidi aceitar e manter essa crença-raiz sobre casamento e lealdade porque era útil para mim, me fazia sentir segura e me parecia verdadeira. Eu aceitei essa entrega e a trouxe para o meu segundo casamento.

Mas às vezes minha raiva traz até a porta uma crença-raiz que não quero manter.

Abby trabalha muito e descansa muito. Muitas vezes, no meio de um dia de trabalho, ela deita no sofá e vê seriados de zumbi. Quando ela faz isso, eu fico tensa e nervosa. Fico agitada, depois nervosa, porque ela está *relaxando na minha cara.* Começo a arrumar as coisas de forma agressiva e barulhenta, bem perto do sofá. Ela ouve minha arrumação nervosa e pergunta: "Qual o problema?" Eu digo: "Nada", com aquele tom que deixa implícito que tem "Alguma coisa". Essa dança já aconteceu mil vezes: Abby está relaxando no sofá e eu fico puta por isso e Abby fica puta porque eu estou puta.

Nós já falamos sobre isso mil vezes. Você nunca presenciou uma DR até presenciar uma discussão interminável entre duas mulheres casadas, ambas introspectivas e reflexivas, ambas sóbrias, então sem mais nada para fazer. A gente se adora. A gente nunca quer se magoar. Queremos compreender uma à outra e a nós mesmas, então nos esforçamos muito para chegarmos ao fundo das questões. Então falamos, falamos, e sempre parecemos chegar à mesma conclusão: Abby é uma mulher adulta e ela manda em si mesma. Glennon deveria parar de se irritar com as decisões de Abby.

Eu sempre concordo com essa decisão. Ou pelo menos minha *mente* concorda. Mas como eu entrego esse memorando para o meu corpo? O que faço com esse *deveria*? *Deveria* nunca me ajuda, porque estou lidando com o que *é*. Espalhar uma camada de julgamento por cima de um sentimento não muda o sentimento. Como eu posso não ficar irritada? Como posso não... reagir?

Um dia entrei na sala e vi Abby pular do sofá e começar a ajeitar as almofadas, tentando parecer produtiva e ocupada por mim. Parei onde estava e fiquei observando-a enquanto uma lembrança da minha infância me vinha à mente. Quando eu era pequena, se estivesse em casa, descansando no sofá, e ouvisse o carro dos meus pais estacionar, eu entrava em pânico, pulava do sofá e tentava parecer ocupada antes que abrissem a porta. Exatamente como vi Abby fazer.

Foi aí que parei de olhar para ela e pensar: *O que minha raiva está me dizendo sobre Abby?* E comecei a perguntar: *O que minha raiva está me dizendo sobre mim?* Minha raiva estava entregando uma encomenda com uma das minhas crenças-raiz nela — uma crença que fora programada em mim durante a infância: *Descansar é preguiça, e preguiça é falta de respeito. Ser bom e ter valor são coisas conquistadas com esforço.*

Quando Abby ficava descansando bem na minha frente — *fora dos horários pré-aprovados e designados pela família para o descanso* —, ela desafiava essa crença-raiz. Estava ativando-a, descobrindo-a, trazendo-a para a luz de modo que eu pudesse vê-la. Mas diferente da minha crença-raiz sobre honestidade e fidelidade, eu não gostava dessa. Não parecia verdadeira. Porque, quando eu olhava para Abby relaxando, minha raiva era quase uma *inveja amarga*.

Deve ser legal.

Deve ser legal descansar no meio da porcaria do dia.

Deve ser legal se sentir merecedor do espaço que você ocupa no mundo sem precisar se ocupar todos os minutos do dia.

Deve ser legal descansar e ainda se sentir merecedor.

Eu não queria mudar Abby: eu queria mudar minha crença sobre valor.

A raiva toca a nossa campainha e entrega uma das nossas crenças-raiz. Essa é uma informação importante, mas a próxima parte é mais que informativa, é transformadora: todas as crenças que a raiva nos entrega têm um formulário de devolução.

Tem um adesivo no pacote que diz: "Aqui está uma das suas crenças-raiz! Você gostaria de ficar com ela, devolvê-la ou trocar por outra?"

Eu examinei com atenção a crença-raiz sobre valor que a raiva que sentia por Abby me entregou. Pensei: *Não. Não quero manter essa crença. Foi herdada, não criada por mim. Já superei isso. Essa não é mais a minha crença mais verdadeira e mais bela sobre valor. Sei que não é real. É maldosa, e está fazendo mal a mim e ao meu casamento. Não quero passá-la aos meus filhos. Mas também não quero devolvê-la. Quero trocá-la pela seguinte:*

Trabalhar com afinco é importante. Mas descansar e brincar e não precisar ser produtivo também são. Meu valor não está ligado à minha produtividade, e sim à minha existência. Eu mereço descansar.

Mudar minha crença-raiz sobre valor mudou minha vida. Eu durmo até um pouco mais tarde. Separo momentos para ler, para caminhar, para fazer yoga, e às vezes (aos fins de semana), até vejo um pouco de TV no meio do dia. É o paraíso. Também é um processo constante. Até hoje, quando vejo Abby relaxando, minha primeira reação é irritação. Mas então me controlo. Penso: *Por que estou nervosa? Ah, é, aquela antiga crença. Ah, espera, esquece. Eu troquei essa.* Então, quando Abby pergunta: "Qual o problema?" Posso responder: "Nada, amor", e é verdade (na maior parte das vezes).

A raiva nos mostra nossos limites. Nossos limites nos mostram nossas crenças. Nossas crenças determinam como experimentamos o mundo. Então, embora seja assustador, é mais sábio abrir a porta.

Corações partidos

Depois de uma década conversando com outras mulheres, estou convencida de que nossos medos mais profundos são:

1. Viver sem nunca encontrar nosso propósito
2. Morrer sem nunca sentir uma verdadeira sensação de pertencimento

Tantas vezes mulheres me perguntam: "Como encontro meu propósito? Como encontro as minhas pessoas?"

O melhor conselho que tenho é o seguinte: quando um coração partido tocar a campainha, atenda a porta.

É assim que é uma recusa a abrir a porta:

Eu queria aprender mais sobre essa injustiça… Eu queria visitar aquele amigo doente… Eu queria me envolver com aquela causa… Eu queria ler aquele artigo… Eu queria ajudar aquela família…

… mas não aguento fazer isso, porque vou ficar com o coração partido.

É como se acreditássemos de verdade que nossos corações foram feitos para ficarem guardados, embrulhados em plástico bolha, protegidos em caixas-fortes. Como se o objetivo da vida fosse *não se emocionar*. Esse não é o objetivo. Quando nos permitimos emocionar, descobrimos o que nos emociona. Corações partidos não são algo a se evitar, é algo a se perseguir. Um coração partido é uma das maiores dicas da nossa vida.

A magia disso é que a campainha de cada pessoa toca em resposta a algo específico. O que funciona para você? Injustiça racial? Bullying? Maus-tratos aos animais? Fome? Guerra? Meio ambiente? Crianças com câncer? O que afeta você tão profundamente que, sempre que se vê diante dessa questão, sente a necessidade de afastar o olhar? Procure aí. Onde existe dor no mundo que você simplesmente não consegue aguentar? Fique aí. A coisa que parte seu coração é exatamente o que você nasceu para ajudar a curar. O trabalho de transformar o mundo de cada um começa com um coração partido.

Conheci um grupo de mulheres em Iowa que tiveram bebês natimortos ou que morreram ainda recém-nascidos. Elas formaram uma irmandade e, juntas, um grupo de ativismo chamado Dia do Nascimento Saudável. Juntas, fazendo cursos e dando outros tipos de apoio, elas contribuíram para diminuir a taxa de mortalidade infantil de forma tão significante que deixou os médicos ao mesmo tempo gratos e confusos. Em vez de se afastar ou se desconectar do seu sofrimento, aquelas mães correram direto para ele. A dor que compartilhavam se transformou em conexão e combustível. Agora, juntas, elas estão evitando que outras pessoas passem pela mesma dor que as uniu.

Corações partidos nos mostram nosso propósito. Se você tiver coragem suficiente para aceitar essa entrega e procurar quem está fazendo esse trabalho específico para mudar o mundo, vai encontrar suas pessoas. Não existe ligação como a que é forjada entre pessoas unidas no mesmo trabalho transformador.

O desespero diz: "Essa dor é grande demais. Sou pequeno demais, triste demais, e o mundo é grande demais. Não consigo fazer tudo, então não vou fazer nada."

A coragem diz: "Não vou deixar que o fato de que não consigo fazer tudo me impeça de fazer o que posso."

Todos queremos propósito e conexão.

Diga o que parte seu coração, e eu vou lhe apontar a direção de ambos.

Luto

Catorze anos atrás, eu estava sentada no quarto da minha irmã, na casa que ela dividia com o então marido. Tish, com poucos meses de vida, estava na cadeirinha do carro, apoiada no chão de madeira, mordendo os dedinhos e balbuciando. Eu e minha irmã estávamos quietas. Ela estava com problemas no casamento, tudo era muito difícil e confuso.

Enquanto estávamos sentadas, o celular dela apitou e ela baixou os olhos para a tela. Então largou o aparelho e escorregou da cadeira para o chão. Peguei o celular e vi que o marido dela tinha acabado de mandar um e-mail dizendo que o casamento deles tinha terminado. Olhei para minha irmã, que parecia morta, como se o que quer que estivesse mantendo-a viva e desperta tivesse desaparecido, como os restos de um balão vazio. Então ela começou a berrar. Conheço minha irmã desde seu primeiro minuto de vida e nunca tinha ouvido ela fazer aquele som. Era um choro animalesco, me deixou com medo. Eu a toquei, mas não tive resposta. Nós três estávamos naquele quarto juntas, mas não estávamos mais juntas. A dor tinha levado minha irmã para um lugar só dela. Tish ficou completamente parada, os olhos bem abertos e úmidos, impressionada com o volume e a intensidade daquele grito. Eu me lembro de pensar como um bebê exposto a uma dor tão crua, tão cedo, seria transformado por ela.

No ano seguinte, enquanto o restante do mundo seguia em frente, eu, minha irmã e Tish nos tornamos um pequeno exército tentando atravessar aquele campo lamacento de luto. Às vezes acho que aquele primeiro ano moldou a profundidade e a gentileza de Tish. Ela ainda fica muito calma e atenta na presença da dor alheia.

Minha irmã se mudou da casa que tinha criado com tanto carinho para sua futura família e foi morar em um quartinho no meu porão. Eu queria decorar o lugar, deixar tudo bonito para ela, mas ela se opôs. Ela não queria criar um lar no meu porão, em seu luto. Ela queria deixar claro que estava só de passagem. A única coisa que ela pendurou na parede foi uma pequena cruz azul que eu lhe dei, com a inscrição: "Porque sou eu que conheço os planos que tenho para vocês. Planos de dar a vocês esperança e um futuro."

Toda noite ela voltava do trabalho, jantava conosco e se esforçava ao máximo para sorrir e brincar com as crianças. Então descia as escadas até seu quarto para deitar. Uma noite, eu a segui escada abaixo e fiquei parada do lado de fora da porta. Quando ia bater, ouvi seu choro baixo. Foi então que percebi que eu não poderia segui-la onde estava. O luto é um quartinho solitário no porão. Ninguém, nem mesmo sua irmã, pode acompanhá-la.

Então me sentei no chão, com as costas na sua porta. Usei tudo que tinha, meu corpo e minha presença, para ficar em vigília, para proteger seu processo, para me colocar entre ela e qualquer outra coisa que pudesse perturbá-la ou magoá-la. Fiquei ali por horas. E por um longo tempo eu voltava àquela porta, para aquela vigília noturna.

Um ano depois, minha irmã saiu do quarto, subiu as escadas e saiu pela nossa porta. Logo depois, deixou o emprego no departamento jurídico de uma empresa e foi para Ruanda, defender vítimas de estupro e devolver terras roubadas de mulheres que haviam perdido o marido. Eu observei sua partida com medo e assombro. Depois observei seu retorno para se casar com um homem que a ama, com quem construiu sua família verdadeira e bela.

Às vezes, nos anos que se seguiram, eu descia as escadas, encarava a porta daquele quartinho no porão e pensava: *É como se aquele quartinho escuro fosse um casulo. Todo o tempo que ela ficou lá estava passando por uma metamorfose completa.*

O luto é um casulo do qual emergimos renovados.

Ano passado a parceira tão amada de Liz ficou muito doente. Ela estava morrendo e, como eu estava longe, todos os dias eu mandava uma mensagem: "Estou sentada do lado de fora da sua porta."

Um dia, minha mãe ligou e perguntou:

— Como está a Liz?

Pensei por um momento em como responder. Percebi que não conseguia, porque ela havia feito a pergunta errada. Falei:

— Mãe, acho que a questão não é "Como está a Liz". A questão é "Quem é a Liz? Quem ela vai ser quando emergir desse luto?"

O luto é uma explosão.

Se você se permitir explodir e então se remontar, pedaço por pedaço, um dia vai acordar e perceber que está totalmente reencaixada. Está inteira de novo, e forte, mas de repente tem uma forma e um tamanho totalmente novos. A mudança que acontece às pessoas que realmente vivem sua dor — seja um caco de inveja que dura uma hora ou um precipício de luto que dura décadas — é revolucionária. Quando esse tipo de transformação acontece, se torna impossível caber nas antigas conversas ou relacionamentos ou padrões ou pensamentos ou vida de antes. Você é como uma cobra tentando se enfiar na sua pele antiga e morta, ou uma borboleta tentando caber no antigo casulo. Você olha em volta e vê tudo diferente, com os novos olhos que mereceu ter. Não há como voltar atrás.

Talvez a única coisa que torne o luto mais fácil seja se entregar totalmente a ele. Não se agarrar a uma parte de nós que existia antes que a campainha tocasse. Às vezes, para viver de novo, temos que nos deixar morrer completamente. Temos que nos permitir virar algo completamente novo.

Quando o luto bater à porta: entregue-se. Não há nada mais a fazer. A entrega é a transformação total.

Invasores

Quando comecei a me recuperar, achei que meu problema era que eu comia demais, bebia demais, usava drogas demais. Aprendi que tudo isso não era meu problema, na verdade; eram soluções pouco eficazes. Meus problemas reais eram depressão clínica e ansiedade. Ser depressiva e ansiosa é meio como ser o Tigrão e o Ió ao mesmo tempo. É como estar sempre vivendo um pouco para baixo demais ou para cima demais. É estar sempre lutando para viver no nível em que a vida acontece, que é o aqui e agora.

Depressão e ansiedade não são sentimentos. Sentimentos me devolvem a mim mesma. Depressão e ansiedade são invasores de corpos que me sugam de mim mesma, de forma que pareço estar presente, mas na verdade não estou ali. Outras pessoas conseguem me ver, mas ninguém consegue mais me *sentir* — inclusive eu mesma. Para mim, a tragédia da doença mental não é que eu esteja triste, é que não estou nada. A doença mental me faz perder minha própria vida.

Depressão, para mim, é um esquecimento, um apagamento, um desaparecimento gradual até o nada. É como se eu estivesse sem Glennon, e não sobra nada além de pânico de que, desta vez, eu vá ter desaparecido por completo. A depressão pega todas as minhas cores vibrantes e as esmaga até eu ser só cinza, cinza, cinza. Com o tempo fico sem energia para viver, mas quando começo a sumir, em geral ainda consigo fazer coisas pequenas: lavar a louça, levar as crianças para a escola, sorrir quando parece necessário. É só que é tudo forçado. Estou agindo em vez de respondendo, porque esqueci para que faço tudo isso. Talvez seja por isso que tantas pessoas deprimidas se tornam artistas, para recuperar o poder de responder à pergunta: qual o objetivo? Estamos rabiscando no chão, com um papel e uma caneta, enquanto nos afogamos em areia movediça.

Se a depressão é uma sensação de estar afundando, a ansiedade é como estar trêmulo e flutuando ao mesmo tempo. No momento, enquanto escrevo isso, estou no meio de um período de ansiedade que está durando algumas semanas. Sei que estou caminhando em direção à ansiedade quando me pego sendo obsessiva. Obsessiva sobre minha próxima palestra, as crianças, a casa, meu casamento, meu corpo, meu cabelo. Ansiedade é me sentir apavorada com a minha falta de controle sobre *qualquer coisa*, e a obsessão é meu antídoto. A escrita é arranhar o chão enquanto estou me afundando, e a obsessão é arranhar o chão quando estou flutuando para longe.

Achei que estava escondendo bem minha ansiedade até minha esposa tocar meu braço e dizer:

— Sinto sua falta. Você sumiu já faz um tempo.

É claro que estamos lado a lado praticamente todos os dias. É só que viver com ansiedade — viver *alarmado* — torna impossível viver no momento, pousar dentro do meu corpo e *estar* ali. Não consigo estar no momento porque estou apavorada com o que o próximo momento pode trazer. Tenho que estar preparada.

Outro dia uma amiga estava descrevendo como era fazer um canal no dentista:

— Não é nem a dor que odeio mais... é esperar pela dor. Estou suando, em pânico, esperando que vá doer horrivelmente. Nunca dói tanto assim, mas sempre parece que é só uma questão de tempo.

— Exatamente. É assim que eu me sinto o tempo todo.

Quando alguém vive em um estado de vigília constante, se algo realmente dá errado... pode esquecer: pânico total. A pessoa vai de zero a cem em dois segundos.

As crianças estão dois minutos atrasadas?

Todo mundo morreu.

Irmã não responde em trinta segundos?

Com certeza morreu.

Cachorro tossiu?

Vai morrer.

O voo da Abby atrasou?

Aham, é isso, era bom demais para ser verdade, a vida nunca vai me deixar ser feliz, morte, morte, morte.

A notícia boa é que descobri muitas maneiras de enganar os invasores de corpos. Quer uma prova da minha *expertise* na área? Sou uma pessoa clinicamente deprimida que faz discursos motivacionais para ganhar dinheiro. Sou uma pessoa com diagnóstico de ansiedade cujo principal trabalho é convencer as pessoas de que está tudo bem. Por favor, perceba que, se eu consigo fazer essas coisas, qualquer um pode fazer o que quiser.

Cinco dicas profissionais para quem vive muito pra baixo ou muito pra cima

1. TOME SEUS MALDITOS REMÉDIOS

Eu tomo escitalopram e acredito que ele seja — junto com toda aquela merda de autoconhecimento e desenvolvimento pessoal — a razão pela qual não me automedico mais com vinho e Oreos.

Minha música favorita é assim: "Jesus me ama, eu sei disso, porque me deu o escitalopram."

Uma vez, durante um jogo com a família, Chase leu a seguinte pergunta para o meu então marido:

— Se você fosse ficar preso em uma ilha deserta, quem gostaria de levar?

— Sua mãe — respondeu Craig.

— Tá. E qual o objeto que você levaria? — perguntou Chase.

— Os remédios da sua mãe — respondeu Craig.

Não acredito que, quando morremos, alguém vai receber o troféu de Ela Sofreu Mais. Se esse troféu *existe*, eu não quero. Se você tem pessoas na sua vida — pais, irmãos, amigos, escritores, "gurus" espirituais — que julgam você por tomar remédios prescritos pelo seu médico, por favor, peça para ver o diploma de medicina deles. Se eles mostrarem o diploma e por acaso forem seu médico, pense em levar isso em consideração. Se não, pode mandar todo mundo gentilmente para aquele lugar. São pessoas com duas pernas chamando próteses de muletas. Elas não vão estar ao seu lado. Siga com o que importa para você, que é sofrer menos para poder viver mais.

2. CONTINUE TOMANDO SEUS MALDITOS REMÉDIOS

Depois que você toma remédios por um tempo, é provável que comece a se sentir melhor. Vai acordar um dia, olhar para os comprimidos e pensar: *No que eu estava pensando? Sou um ser humano completamente normal, afinal! Não preciso mais disso!*

Largar os remédios porque está se sentindo melhor é tipo ficar parado em um temporal, segurando um guarda-chuva que está mantendo você bem sequinho, e pensar: *Nossa. Estou tão seco. Deve estar na hora de me livrar desse guarda-chuva bobo.*

Mantenha-se seco e vivo.

3. FAÇA ANOTAÇÕES

O que acontece com a gente é o seguinte: estamos em casa, começamos a afundar, afundar, ou então a subir, cada vez mais. Estamos sumindo e perdendo a cabeça. Estamos na parte ruim. Então marcamos uma consulta com nosso médico para pedir ajuda. A consulta é em alguns dias. Esperamos.

Começamos a nos sentir um pouco melhor a cada dia que passa. Na manhã da consulta, enquanto tomamos banho e entramos no carro, mal conseguimos lembrar quem éramos ou o que sentíamos, tipo, três dias atrás. Então olhamos para o médico e pensamos: *Meu eu afundando é impossível de explicar. Eu mal me lembro dela. Será que isso aconteceu mesmo?* Aí acabamos dizendo algo tipo: "Sei lá. Eu fico meio triste. Acho que todo mundo se sente assim. Estou bem agora, acho." E então vamos embora, sem conseguir ajuda.

Alguns dias depois, estamos em casa. E começamos a afundar ou flutuar de novo. E por aí vai.

Quando você começar a mergulhar na zona cinzenta, pegue seu celular ou um caderno e escreva algumas anotações do seu Eu Pra Baixo para o seu Eu Pra Cima. Escreva como está se sentindo agora. Não precisa ser um romance, é só um recado. Aqui está uma das minhas anotações do meu Eu Pra Baixo:

Está tudo cinza.

Não sinto nada.

Estou totalmente sozinha.

Ninguém me conhece de verdade.

Estou cansada demais para escrever qualquer coisa.

Guarde esse recado em um lugar seguro, depois marque a consulta. Quando chegar o dia, leve as anotações do seu Eu Pra Baixo. Quando sentar com seu médico, não precisa lembrar nem traduzir. Só precisa falar: "Oi. Essa sou eu, limpinha e parecendo 'ótima'. Não preciso de ajuda para essa versão Pra Cima de mim; preciso de ajuda para *esta* versão de mim." E passe suas anotações para o seu médico. É assim que você vai cuidar do seu Eu Pra Baixo. Essa é a única forma de ser tornar sua amiga e defensora.

Quando você tiver sido devolvida para si mesma, escreva outro recado.

Meses atrás, eu joguei fora meu guarda-chuva porque estava seca. Duas semanas depois, estava gritando com as crianças pela milionésima vez, deixando minhas pessoas me encarando com medo. Eu estava fazendo o que tinha que fazer, preparando a comida, escrevendo minhas coisas. Só não conseguia lembrar por que estava fazendo essas coisas. Percebi que eu tinha sumido de novo. Mas também estava confusa. *Talvez seja assim que eu sou, na verdade. Não lembro.*

Então abri minha caixinha de joias e peguei o recado que meu Eu Pra Cima tinha escrito.

G,

Você ama a sua vida (na maior parte do tempo).

O cheiro do cabelo da Tish faz você derreter.

O pôr do sol impressiona você. Toda vez.

Você ri vinte vezes por dia.

Você vê mais mágica no mundo do que a maioria das pessoas.

Você se sente amada. Você é amada. Você tem uma vida linda que lutou muito para construir.

— G

Liguei para o meu médico, voltei a tomar os remédios, e me devolvi a mim mesma.

Cuide bem de todos os seus Eus. Lute com todas as suas forças para se manter por perto, e quando se perder, faça o que for preciso para se devolver a si mesma.

4. CONHEÇA SEUS BOTÕES

Meu compromisso com a sobriedade tem a ver com permanecer comigo mesma. Não quero me abandonar nunca mais. Pelo menos não por muito tempo.

Lembra aqueles comerciais de alguns anos atrás? Um grupo de pessoas em um escritório ficava nervoso por algum motivo, e um botão vermelho com "relaxe" aparecia do nada. Alguém apertava o botão e o escritório inteiro era tirado daquele estresse e transportado para um lugar sem dificuldades.

Botões de "relaxe" são coisas que aparecem na nossa frente e que queremos usar porque nos afastam temporariamente da dor e do estresse. Mas eles não funcionam a longo prazo, porque o que fazem na verdade é nos ajudar a abandonar a nós mesmos. Botões de "relaxe" nos levam para um paraíso falso. E o paraíso falso, no fim, é sempre um inferno. Você sabe que apertou um botão de "relaxe" quando se sente mais perdida do que estava antes. Eu levei quarenta anos para decidir que, quando estou me sentindo mal, quero fazer algo que vai me fazer sentir melhor, não pior.

Mantenho uma folha de papel em meu escritório com o título: "Botões de Relaxar e Botões de Resetar."

Na coluna da esquerda estão as coisas que faço para abandonar a mim mesma.

Na coluna da direita estão meus botões de resetar, coisas que posso fazer para que permanecer comigo mesma seja um pouco mais possível.

BOTÕES DE RELAXAR	BOTÕES DE RESETAR
Álcool	Beber um copo de água
Comer demais	Fazer uma caminhada
Fazer compras	Tomar um banho
Ser maldosa	Fazer yoga
Me comparar com os outros	Meditar
Ler críticas negativas	Ir até a praia ver as ondas
Comer um monte de	Brincar com o cachorro
besteiras e dormir	Abraçar minha esposa e
	meus filhos
	Esconder meu celular

Meus botões de resetar são coisas pequenas. Pensar grande demais é a kryptonita para pessoas de altos e baixos como eu. Quando tudo está um horror e eu odeio a minha vida e tenho certeza de que preciso de uma carreira nova, uma religião nova, uma casa nova, uma vida nova, olho para a minha lista e me lembro de que provavelmente preciso é de um bom copo de água.

5. LEMBRE-SE DE QUE NÓS SOMOS AS MELHORES PESSOAS

Sou uma artista e ativista, então basicamente *todos* os meus amigos lutam com o que nossa cultura determinou serem doenças mentais. Essas pessoas são os seres humanos mais vivos, apaixonados, gentis, fascinantes e inteligentes da face da Terra. Elas têm vidas diferentes das que somos treinados a desejar. Muitas têm vidas que incluem passar dias no escuro, sem sair de casa, se segurando em palavras, políticas e pincéis para salvar as próprias vidas. Esse tipo de vida não é fácil, mas muitas vezes é profunda, verdadeira, bela e cheia de significado. Comecei a perceber que eu sequer *gosto* de pessoas que não são pelo menos um pouquinho complicadas. Não desejo mal para quem não tem ansiedade ou depressão, só não sinto uma curiosidade em particular a respeito dessas pessoas. Cheguei à conclusão de que nós, os "doidos", somos as melhores pessoas.

É por isso que tantos de nós resistimos a tomar remédios. Porque no fundo, acreditamos que, na verdade, nós somos os sãos. Nós, que temos doenças mentais, somos as únicas pessoas "doentes" que acreditam que nossa magia está dentro da doença. Eu acreditava nisso. Ainda acredito. Quando as pessoas diziam: "Tomara que você melhore logo", o que eu ouvia era: *Tomara que você fique igual a todo mundo logo.* Eu sabia que deveria baixar a cabeça e declarar que ser como sou era perigoso e errado e que o jeito de todo o restante era melhor e correto. Era para eu ser curada, me juntar às tropas, ficar na linha. Às vezes eu queria isso desesperadamente, porque viver do meu jeito era muito difícil. Às vezes eu consigo me fazer aceitar que minha inabilidade de viver de forma leve e agradável no mundo em que nasci era um desequilíbrio químico e que eu precisava de ajuda para me integrar como todo mundo. Eu precisava admitir: *Não é você, mundo, sou eu. Vou pedir ajuda. Preciso melhorar. Preciso do seu conhecimento.*

Mas outras vezes — quando vejo o noticiário ou observo com atenção como as pessoas se tratam — ergo as sobrancelhas e penso: *Na verdade, talvez o problema não seja comigo. Talvez seja com você, mundo. Talvez minha inabilidade de me adaptar ao mundo não é porque sou doida, mas porque estou prestando atenção. Talvez não seja insano rejeitar o mundo como ele é. Talvez a insanidade real seja se render ao mundo como ele é. Talvez fingir que as coisas por aqui estão superbem não seja uma medalha que quero carregar. Talvez seja certo ser meio doido. Talvez a verdade seja: Mundo, você precisa da minha poesia.*

Tenho esses distúrbios — ansiedade, depressão, vício —, e eles quase me mataram. *Mas eles também são meus superpoderes.* A sensibilidade que me levou ao vício é a mesma que me faz ser uma ótima artista. A ansiedade que torna difícil existir na minha própria pele também torna difícil existir em um mundo em que tantas pessoas sofrem tanto — e isso me faz ser uma ativista persistente. O fogo que ardeu dentro de mim na primeira metade da minha vida é exatamente o mesmo que estou usando agora para iluminar o mundo.

Não se esqueça: nós precisamos da ciência deles porque eles precisam da nossa poesia. Não precisamos ser mais agradáveis, normais ou convenientes; só precisamos ser nós mesmos. Nós precisamos nos salvar porque precisamos salvar o mundo.

Zonas de conforto

Antigamente, eu mantinha meu coração partido como se fosse meu trabalho e meu destino. Como se dor fosse o que eu devesse ao mundo, e como se permanecer triste fosse como eu permaneceria segura. A negação foi como ganhei meu status de merecedora, de boa pessoa, de alguém com direito de existir. O sofrimento era minha zona de conforto. Decidi, aos quarenta anos, tentar outra coisa.

Escolhi Abby. Escolhi minha própria alegria. Escolhi acreditar — como Mary Oliver prometeu — que eu não preciso ser boa. Posso só deixar o animal suave do meu corpo amar o que ama.

Fiz essa escolha por amor por mim mesma e por Abby e também por curiosidade. Eu me perguntei se a alegria tinha tanto a me ensinar quanto a dor. Se fosse o caso, eu queria saber.

Não sei bem o que o caminho da alegria vai me ensinar a longo prazo. Escolher a alegria é novidade para mim. Mas aprendi o seguinte: é bom ser feliz. Eu me sinto mais leve e mais límpida e mais forte e mais viva. Ainda não fui derrubada. Uma coisa que me surpreendeu foi o seguinte: quanto mais feliz fico, mais feliz meus filhos parecem ficar. Estou desaprendendo tudo que fui treinada a acreditar sobre maternidade e martírio. No nosso livro de casamento, meu filho escreveu: "Abby, antes de você chegar, minha mãe nunca aumentava o volume além do 11. Obrigado." Espero que minha nova crença de que o amor deve fazer você se sentir acolhido e livre seja uma crença que meus filhos mantenham.

Também aprendi que, embora escolher a alegria torne mais fácil eu amar a mim mesma e a minha vida, parece tornar mais difícil que o mundo me ame.

Eu estava dando uma palestra em um evento recentemente quando uma mulher ficou de pé na plateia, olhou para mim no palco e disse ao microfone:

— Glennon, eu costumava amar tanto o que você escrevia. Quando você falava sobre a sua dor e sobre como a vida era difícil, eu me sentia tão reconfortada. Mas ultimamente, nessa sua nova vida, você parece diferente. Tenho que ser honesta: estou tendo dificuldade para me identificar com você.

— Sim — respondi. — Eu entendo. Estou mais feliz agora. Não duvido mais tanto de mim mesma, e isso está me dando mais força e autoconfiança, então estou sofrendo menos. Percebi que parece mais fácil para o mundo amar uma mulher sofrida do que é para o mundo amar uma mulher alegre e confidente.

Também é difícil para mim.

Eu estava assistindo a um jogo de futebol da Tish quando uma das meninas do outro time começou a me irritar. Dava para ver pela linguagem corporal, pelos revirar de olhos, que várias outras mães nas arquibancadas também estavam irritadas. Eu prestei atenção na menina, tentando entender por que ela estava nos provocando. Percebi que ela andava de cabeça erguida, bem confiante. Era boa e sabia disso. Ela corria atrás da bola muitas vezes, sem hesitar, como uma menina que conhece a própria força e o próprio talento. Ela sorria o tempo todo, como se tudo aquilo fosse fácil, como se ela estivesse se divertindo muitíssimo. Tudo isso me incomodava demais.

Era uma menina de *doze anos*.

Refleti sobre os meus sentimentos e percebi o seguinte: essa reação instintiva que estou tendo com essa garota é um resultado direto do meu treinamento. Fui condicionada a desconfiar e desgostar de meninas e mulheres fortes, confiantes e felizes. Todos nós fomos. Estudos mostram que quanto mais poderoso, bem-sucedido e feliz um homem se torna, mais as pessoas confiam e gostam dele. Mas quanto mais poderosa e feliz uma mulher se torna, menos as pessoas confiam e gostam dela. Assim, proclamamos: *As mulheres têm direito a tomar seus lugares!* Mas aí, quando uma ocupa um desses lugares, nossa primeira reação é: *Ela é tão... metida.* Nós nos tornamos as pessoas que dizem o seguinte sobre mulheres confiantes: "Sei lá, não consigo explicar... tem alguma coisa nela. Só não gosto dela, mas não consigo dizer por quê."

Eu consigo dizer por quê: é porque nosso treinamento está entrando em campo no nosso subconsciente. Meninas e mulheres fortes, felizes e confiantes quebram a regra implícita da nossa cultura de que meninas devem ser inseguras, tímidas, reservadas e servis. Garotas corajosas o suficiente para ir contra essas regras nos deixam *nervosos*. Elas se recusarem ativamente a seguir essas ordens nos fazem querer colocá-las de volta nas suas jaulas.

Meninas e mulheres sentem isso. Queremos que as pessoas gostem de nós. Queremos que as pessoas confiem em nós. Então diminuímos nossos pontos fortes para evitar que os outros se sintam ameaçados e nos desprezem. Não mencionamos nossos sucessos. Não aceitamos elogios. Diminuímos, mudamos e ignoramos nossas opiniões. Caminhamos sem confiança e sempre cedemos. Saímos da frente. Dizemos "Eu acho" em vez de "Eu sei". Perguntamos se nossas ideias fazem sentido em vez de supor que façam. Pedimos desculpas por... *tudo.* Conversas entre mulheres brilhantes com frequência se tornam uma competição de quem ganha o troféu de vida mais cagada. Queremos ser respeitadas, mas queremos ser amadas e aceitas ainda mais.

Uma vez sentei à mesa da cozinha de Oprah Winfrey, e ela me perguntou do que eu tinha mais orgulho na vida como ativista, escritora e mãe. Eu entrei em pânico e comecei a resmungar alguma coisa tipo:

— Ah, eu não sinto orgulho, eu sinto gratidão. Nada disso tem a ver comigo. Estou cercada de pessoas incríveis. Só tenho uma sorte incrível e blá-blá-blá...

Ela pousou a mão na minha e disse:

— Não faça isso. Não seja modesta. A Dra. Maya Angelou uma vez disse: modéstia é uma afetação adquirida. Você não quer ser modesta, você quer ser humilde. A humildade vem de dentro para fora.

Penso no que ela me disse todos os dias. Estava dizendo: se fingir de burra, fraca e boba é um desserviço a você mesma e a mim e ao mundo. Toda vez que você finge ser menos do que é, rouba a permissão de outras mulheres para existirem completamente. Não confunda modéstia com humildade. Modéstia é uma mentira risonha. Uma atuação. Uma máscara. Um fingimento. Não temos tempo para isso.

A palavra humildade vem do latim *humilitas*, que significa "da terra." Ser humilde saber quem você é e ter os pés no chão por causa disso Deixa implícita a responsabilidade de se tornar quem está destinada a ser — de crescer, de se expandir, de florescer por completo, com a força e a grandeza com as quais você foi criada para ter. Não é honroso para uma árvore ressecar e se encolher e desaparecer. Também não é honroso para uma mulher fazer isso.

Nunca fingi ser mais forte do que sou, então com certeza não vou fingir ser mais fraca. Também vou parar de exigir modéstia de outras mulheres. Não quero ser reconfortada pela fraqueza e pela dor das outras. Quero encontrar inspiração na alegria e no sucesso delas. Porque isso me faz mais feliz, e porque se continuarmos desgostando e criticando mulheres fortes em vez de amá-las, apoiá-las e elegê-las, não teremos mais mulheres fortes no mundo.

Quando vejo uma mulher confiante e alegre atravessando o mundo com a cabeça erguida, vou me perdoar pela minha primeira reação, que não é culpa minha, é meu condicionamento.

Primeira reação: *Quem diabos ela pensa que é?*

Segunda reação: *Ela sabe que é a porra de um guepardo. Graças a Deus, porra!*

Bonder

Sempre julguei a minha geração de pais por conta da obsessão com esportes. Ficava com pena dos pais que passam os fins de semana e gastavam rios de dinheiro levando os filhos de um lado para o outro do país para assistir enquanto eles chutavam bolas ou faziam estrelas. Toda vez que uma amiga me conta que o filho ganhou uma bolsa esportiva para a faculdade, eu digo: "Que maravilha!", e então penso: *Mas você não já gastou esse dinheiro todo em collants e caneleiras e hotéis?* Por muito tempo, meu objetivo atlético com as crianças era a mediocridade. Queria que aprendessem o suficiente sobre esportes para não passarem vergonha na aula de educação física, mas não tanto a ponto de serem talentosos e estragarem meus fins de semana.

Quando as meninas eram pequenas, queriam fazer ginástica artística, então nós íamos para o ginásio local uma vez por semana e elas davam cambalhotas e ficavam na ponta dos pés enquanto eu lia e de vez em quando erguia o rosto para gritar: "Muito bem, querida!" Era perfeito, até a treinadora se aproximar de mim um dia e falar: "Suas filhas têm potencial. Está na hora de virem três vezes por semana." Eu olhei para a treinadora, sorri, agradeci e pensei: *Hora de trocar de esporte!* Na semana seguinte, entramos no time de futebol infantil. As meninas se divertiam, e como não havia pressão de aprender nada de verdade, eu estava confiante de que continuaríamos a bater a meta da mediocridade.

Depois do divórcio, Tish começou a sumir. Eu observei enquanto, aos poucos, ela buscava conforto na comida e passava tempo demais sozinha no quarto. Eu sabia que ela precisava se mexer mais, mas também sei, por experiência própria, que sugerir isso a uma criança é errado. Tish tinha dez anos. Eu tinha dez anos quando minha bulimia começou. Minha bebê parecia à beira do precipício. Eu estava com medo.

Sentei no sofá com Abby uma noite e comentei:

— Acho que precisamos colocar a Tish na terapia de novo.

— Discordo — disse Abby. — Acho que ela precisa sair da própria cabeça, não mergulhar ainda mais nela. Tenho pensado muito nisso. Quero que Tish faça o teste para um time de futebol.

EU: Espera. O que você acabou de dizer? Você já *viu* a Tish? Aquela menina não correria nem se a casa estivesse pegando fogo. E as meninas das escolinhas jogam desde que nasceram. Não, obrigada. Estamos tentando *ajudar* a Tish, não humilhá-la.

ABBY: Eu tenho uma intuição sobre isso. Ela é uma líder nata. Os olhos dela brilham quando falamos sobre futebol. Acho que ela pode adorar.

EU: De jeito nenhum. Ela está frágil demais agora. E se ela não entrar e isso acabar com ela?

ABBY: E se ela acabar entrando e for transformada?

Sem me falar, Abby ligou para Craig, que sempre jogou futebol, e logo ficaram dois contra uma nessa questão. O plano era falar com Tish e perguntar o que ela achava de fazer o teste para o time de futebol contra a minha vontade e sabedoria de mãe. Um dia, depois da escola, nós três nos sentamos com Tish.

Ela ficou paralisada e nos encarou, desconfiada. Depois de um divórcio, as crianças ficam em modo de atenção por muito tempo. Ela perguntou:

— Tem outra notícia ruim?

— Não, nada de notícia ruim — disse Craig. — A gente estava pensando se você não teria interesse em fazer o teste para entrar em um time de futebol.

Tish deu risada. Nós não rimos junto, então ela parou. Ela olhou para Craig, depois para mim. Então fixou o olhar em Abby.

TISH: Espera. Vocês estão falando sério?
ABBY: Sim.
TISH: Você acha que eu conseguiria entrar?

Abri a boca para dizer: "Ah, querida, a verdade é que aquelas meninas jogam já faz muito mais tempo, e não esqueça que só fazer o teste já é de uma coragem imensa, e nós não vamos nos concentrar no resultado, e sim no nosso esforço..."

Mas antes que eu pudesse falar, Abby encarou Tish e disse sem piscar:

— Acho. Eu acho que você tem chance de entrar. Tem potencial e paixão. Alguém vai entrar. Por que não pode ser *você*?

Ah, meu Deus, eu pensei. Ela está doida. Não tem ideia do que está fazendo.

Sem tirar os olhos de Abby, Tish respondeu:

— Certo. Vou tentar.

— Incrível — disse Craig.

— Maneiro — disse Abby.

PERIGO PERIGO, pensei.

Nós três sorrimos para Tish.

Os testes eram dali a quatro semanas. Tish, Abby e Craig passaram esse tempo no campinho, praticando chutes, e na sala, assistindo a jogos antigos da seleção de futebol feminino. Abby e Craig trocavam mensagens e e-mails sobre estratégias de treinamento. Tish e Abby falavam sobre o jogo tão incessantemente que futebol se tornou a segunda língua oficial da nossa casa. Também saíam para correr todos os dias, o que nunca era fácil. Tish reclamava e choramingava toda vez. Uma tarde elas entraram pelo corredor juntas, suando e ofegando. Tish continuou correndo e subiu as escadas batendo os pés. Antes de bater a porta do quarto, ela gritou:

— NÃO AGUENTO ISSO! ODEIO CORRER! NÃO AGUENTO!

Eu fiquei congelada, começando a imaginar que medicamentos teríamos que dar a Tish depois que esse experimento perigoso falhasse e a gente tivesse oficialmente acabado com a vida dela... de novo.

Abby virou para mim e me olhou nos olhos.

— Está tudo bem — falou, e então apontou para o andar de cima. — Isso? Isso está totalmente certo. Não vá atrás dela. Daqui a pouco ela vai descer.

Tish desceu depois de um tempo, com os olhos vermelhos e sem falar nada. Sentou no sofá entre mim e Abby. A gente ficou vendo TV por um tempo, e durante um intervalo Abby comentou, sem tirar os olhos da TV:

— Eu odiei correr todos os dias da minha carreira. Reclamava disso sempre. Só fazia porque sabia que não seria uma boa profissional se não estivesse em forma, mas eu odiei cada minuto.

Tish assentiu e perguntou:

— Que horas vamos correr amanhã?

As semanas passam, e estamos levando Tish para o primeiro dia de testes. Estou segurando uma gigantesca caneca para viagem cheia de chá antiestresse. Quando chegamos ao campo, todas as outras meninas estão com seus uniformes novos em folha, e Tish está usando uma camiseta de acampamento e short da educação física. Também é pelo menos um palmo mais baixa que todas as outras meninas. Quando comento isso com Abby, ela diz:

— Mas quê? Não é, nada. Amor, quando se trata da Tish você tem tipo uma dismorfia corporal terceirizada. Olha direito. Ela é do mesmo tamanho que todas as outras meninas.

Eu estreito os olhos e retruco:

— Hum. Bom, ela é menor *por dentro*.

— Não é, não, Glennon. Não é mesmo — discorda Abby.

Eu, Tish, Abby e Craig nos reunimos. Tish olha para mim com os olhos úmidos. Eu prendo a respiração. Abby me encara e ergue as sobrancelhas. Só quero dizer: "Minha filhinha, vamos esquecer isso. A mamãe está com você. Vamos voltar para o carro e tomar sorvete." Mas o que digo é:

— Eu acredito em você, Tish. Essa é uma coisa difícil que você vai fazer. Mas nós conseguimos fazer coisas difíceis.

Ela dá as costas para nós e começa a andar devagar em direção ao campo. Eu a observo se afastar de mim e se aproximar dessa coisa muito, muito difícil, e nunca na minha vida meu coração ficou tão perto de sair pela boca. Tish parece tão pequena, e o céu, o campo e a tarefa à frente tão imensos. Ela continua andando, se afastando de nós, em direção ao banco na lateral onde as outras meninas estão sentadas. Assim que Tish chega lá, eu e ela percebemos: Ah, meu Deus. Ah, meu Deus. Ah, meu Deus... Não tem lugar no banco para ela. Ela fica de pé, meio sem jeito, ao lado. Tish não sabe o que fazer com as mãos. Está excluída. Está fora do círculo Dourado. Ela não se encaixa. Ela não é do grupo.

Abby segura minha mão.

— Você está bem?

EU: Não. Isso foi um erro.

ABBY: Não, não foi.

Puxo a mão de volta e rezo: *Por favor, Deus, se você existe, faça essas meninas serem legais com a minha filha. Faça com que elas a convidem para o círculo. Faça a bola entrar no gol toda vez que encostar na Tish, ou crie algum outro tipo de milagre futebolístico para ela entrar no time. Se tudo o mais falhar, mande um terremoto. Mas Deus, por favor, acabe logo com isso, porque meu coração não vai aguentar.*

O teste começa. Tish não parece saber o que está fazendo. Perde a bola várias vezes. Não é tão rápida quanto as outras meninas. Ela olha várias vezes para Abby, que só sorri e acena. Tish continua tentando. Tem alguns bons momentos. Consegue completar um passe, e Abby insiste que ela tem algum tipo de visão do campo, uma compreensão do jogo que parece faltar às outras meninas. Mas aquela hora é difícil para ela. E para mim. Depois que o teste acaba, voltamos para o carro juntos e entramos. Tish fica quieta o caminho inteiro até em casa. Depois de um tempo eu me viro e chamo:

— Querida?

Abby segura minha mão e balança a cabeça. Eu me viro para a frente e fico quieta até chegarmos em casa.

Voltamos para os testes no dia seguinte. E no seguinte. Vamos para os testes todos os dias daquela semana. Na sexta-feira à noite, recebemos um e-mail do técnico. Diz: "Ela tem muito a aprender, mas tem carisma, se esforça muito e é uma líder nata. Precisamos disso. Gostaríamos de oferecer uma vaga no time para Tish."

Eu cubro a boca com as mãos e releio o e-mail duas vezes para me certificar de que estou entendendo direito. Abby está fazendo a mesma coisa por cima do meu ombro, em silêncio. Eu me viro e pergunto:

— Puta. *Merda.* Como você sabia?

Abby está com lágrimas nos olhos.

— Eu não sabia. Não durmo direito faz três semanas.

Eu me sento com Craig e Abby para dar a notícia a Tish juntos.

— Você entrou — falamos. — Você entrou no time.

Alguns anos já se passaram desde então, e agora somos pais que passam os finais de semana levando a filha de um lado para o outro e gastam dinheiro em gasolina e hotéis e torneios e chuteiras.

Tish é forte e sólida agora, não porque quer ser uma modelo, mas porque quer se a melhor atleta e colega de time que puder. Quanto mais forte for, mais o time pode contar com ela. Tish não considera seu corpo como um fim, e sim como um meio para um fim. Ela usa o próprio corpo como uma ferramenta para ajudá-la a alcançar um objetivo que sua mente e seu coração decidiram: *ganhar jogos com as minhas amigas.*

Tish é uma líder agora. Aprendeu que existem grandes atletas e grandes jogadores em equipe, e que nem sempre essas características existem nas mesmas pessoas. Ela observa as outras jogadoras e decide exatamente de que cada uma precisa. Sabe quem está cansada e quem precisa de apoio. Depois de cada jogo, ganhem ou percam, ela senta no banco de trás do carro enquanto voltamos para casa e manda mensagens para as colegas:

"Tudo bem, Livvie. Ninguém conseguiria agarrar aquela bola. Da próxima vez pegamos eles. A gente ama você." Os pais das meninas me mandam e-mails dizendo: "Por favor, agradeça a Tish por mim. Ela foi a única pessoa que conseguiu consolar minha filha."

Tish é uma atleta agora. Quando tem algum problema no colégio, ela não é tão afetada, porque aqueles corredores não são onde ela encontra sua identidade. Ela não precisa fabricar dramas falsos na vida social porque todo o drama real — a animação da vitória e a agonia da derrota — ela encontra no campo. Outro dia eu ouvi Tish falar para um amigo de Chase:

— Não, eu não sou popular. Eu jogo futebol.

O futebol salvou minha filha.

O fato de eu não ter salvado minha filha do futebol salvou minha filha.

Recentemente, eu, Craig e Abby estávamos nas laterais do campo numa chuva fria, assistindo ao time de Tish. As meninas estavam encharcadas e geladas, mas mesmo assim não demonstravam nenhum incômodo. Observei Tish com atenção, como sempre. Suas pernas e rosto estão bem delineados. A faixa cor-de-rosa impedindo que o cabelo caísse no rosto sobre a trança que é sua marca registrada. O outro time tinha feito um gol, e ela estava tentando recuperar o fôlego e voltar para a sua posição. Enquanto corria, gritava para as zagueiras:

— Vamos, a gente consegue!

O jogo recomeçou. A bola parou em Tish. Ela aparou e passou para a atacante, Anais. Anais fez o gol.

As meninas correram em direção à Anais, em direção umas às outras. Todas se encontraram no meio de campo, uma massa de adolescentes pulando e se abraçando e comemorando elas mesmas, seu time, seu suor. Nós, pais, também comemoramos, mas as meninas nem ouviram. Naquele momento, não havia mais ninguém no mundo além delas. Como a gente se sentia sobre elas não importava. Como elas se sentiam é que importava. Para elas, não era uma performance. Era real.

O jogo terminou, e eu e Abby voltamos para o nosso carro e Craig foi para o dele, estacionado ao lado. Entramos logo para sair da chuva. Depois de uma reunião rápida do time, Tish veio andando com a amiga Syd. Elas não estavam com pressa, porque nem sentiam frio. Quando chegaram até a gente, se abraçaram e Syd seguiu em frente com a mãe. Tish veio até o nosso carro e parou na janela de Abby para se despedir, porque ia para a casa de Craig. Ainda é difícil, esse vai-e-volta entre casas. O divórcio é difícil de lidar — todas as famílias são difíceis de lidar —, mas Tish sabe que consegue fazer coisas difíceis.

A chuva continuava a cair em torno dela, mas o rosto de Tish era um holofote emoldurado pela janela.

— A técnica me deu um apelido hoje. Disse que vai me chamar de SuperBonder, porque a bola gruda em mim. Quando ela me tirou do banco hoje, ela gritou "Bonder, pode entrar".

A janela de Craig estava aberta e ele ouviu a história. Ele sorriu para mim e para Abby. Nós sorrimos de volta. Tish ficou ali parada entre nós — brilhando e nos unindo.

Sortudas

Quando eu e Abby nos apaixonamos, centenas de quilômetros e um milhão de obstáculos nos separavam. Os fatos à nossa frente faziam um futuro juntas parecer impossível. Então nós conversávamos sobre a ordem invisível verdadeira e bela que sentíamos por baixo da pele. Nossas imaginações sempre incluíam uma à outra e a água.

Abby escreveu isso para mim do outro lado do país, uma noite antes de cair no sono:

"É de manhã bem cedo e estou sentada no nosso deck vendo o nascer do sol. Olho para trás e vejo você de pijama, ainda sonolenta, vindo na minha direção, com duas canecas de café. A gente fica sentada ali juntas, minhas costas apoiadas em uma coluna, as suas costas no meu peito, vendo os peixes pulando e o sol subindo. Não temos que estar em lugar algum, apenas juntas."

Quanto mais difíceis as coisas ficavam, mais vezes voltávamos para aquela manhã que Abby imaginara para nós. O deck, eu, ela, duas canecas fumegantes de café: aquela imagem se tornou nossa ordem invisível, nos guiando à frente. Nós tínhamos fé.

Um ano depois, Abby fez o jantar para nós seis: as crianças, Craig e nós duas. Sentamos para comer na varanda da casa à beira do Golfo do México que eu e Abby compramos juntas. Era uma tarde linda, o céu todo lilás e laranja, a brisa cálida e calma. Nós jantamos e demos risada e depois tiramos a mesa juntos. Craig foi embora para a partida de futebol de domingo, e as crianças lavaram a louça e depois se sentaram no sofá para ver TV. Honey, nossa buldogue, subiu no colo de Amma, e Abby saiu para o deque: o Deque Doyle Melton. Fiquei observando da cozinha enquanto ela se sentava com as costas apoiadas na coluna e olhava para o canal. Eu servi duas canecas de chá e saí para me juntar a ela. Abby olhou para trás, para mim, e pelo seu sorriso, sabia que estava se lembrando. Nós ficamos no deque juntas, minhas costas no peito dela, as costas dela na coluna, e ficamos vendo os peixes pularem e o sol se pôr e o céu celebrar em tons de roxo cada vez mais profundos.

Antes de voltarmos para dentro, tirei uma foto de nós duas, sorrindo com o pôr do sol atrás de nós, e depois postei. Alguém comentou: "Ah, vocês são tão sortudas de ter uma à outra e essa vida."

Minha resposta foi: "É verdade. Nós somos muito sortudas. Também é verdade que nós imaginamos essa vida antes que ela existisse, então nos esforçamos ao máximo pela chance de um em um milhão de conseguirmos construir isso juntas. Nós não tropeçamos nesse mundo que temos agora; nós o construímos. Vou dizer uma coisa: *quanto mais coragem tenho, mais sortuda eu me torno*."

Ondas

Eu costumava odiar filmes românticos. Quando via algum passando na TV, sentia uma pontada, como se estivesse vendo fotos de uma festa para a qual não fui convidada. Eu me lembrava de que o amor romântico é só uma palhaçada da Disney, mas sempre sentia um desejo logo antes de mudar de canal.

É o mesmo desejo que Abby, que é agnóstica, sente quando vê um coral de igreja, com as roupas e vozes fortes e olhos brilhantes.

Eu sempre tive olhos brilhantes quando se trata de amor divino; eu acredito.

Abby sempre teve olhos brilhantes quando se trata de amor romântico; ela acredita.

Os filmes favoritos de Abby são *Romeu + Julieta* e *Diário de uma paixão*. *DIÁRIO DE UMA PAIXÃO*! Quando digo para ela: "Não acredito que a gente se encontrou", ela responde: "Eu acredito. Eu sempre soube que você estava por aí."

Eu não sabia disso. Não sabia se acreditava em amor romântico porque só me apaixonei quanto tinha quarenta anos de idade. Lá estava eu, seguindo pela minha vida, quando caí em um buraco de coelho. É essa a sensação de se apaixonar, como se de repente não houvesse mais chão sob seus pés.

Quando eu me apaixonei, a sensação foi bem parecida com a de quando comia cogumelos alucinógenos com amigos na faculdade. Quando os cogumelos batiam, nós caíamos no buraco de coelho juntos. De repente eu me sentia totalmente conectada às pessoas com que estava tendo onda e igualmente desconectada das pessoas sóbrias. Eu e meus amigos nos transformávamos em uma bolha de amor, e ninguém mais nos alcançava ou compreendia. Eu sentia pena das pessoas sóbrias. Elas não sabiam o que nós sabíamos, não sentiam o que nós sentíamos, ou amavam como nós amávamos. Nós as chamávamos de "pessoas normais". "Cuidado", a gente sussurrava entre si quando alguém aparecia. "Ela é normal."

Por muito tempo, foi assim que me senti sobre todos além de mim e de Abby. Eu olhava para as pessoas andando na rua e pensava: *Elas não sabem. Nós somos especiais, e elas são tão... normais.* A única pessoa normal com quem eu sequer conseguia falar durante esses primeiros dias era a minha irmã. Ela falava comigo nessa época exatamente como falava quando eu ainda bebia. Ela inclinava a cabeça e dizia coisas tipo: "Cuidado, irmã. Você não sabe bem o que está fazendo."

Eu pensava: *Ah, caramba. Ela acha que isso é só uma fase. Não entende que eu encontrei o amor e então agora sou diferente e especial para sempre. Era isso que estava me faltando. Era por isso que a vida era tão difícil para mim: porque eu não tinha essa coisa específica. Agora estou melhor. É assim que sou agora. Eu sou eueAbby.*

Uma noite, eu e Abby estávamos no sofá, abraçadas, nos beijando e falando sobre fugir para nos casarmos.

Abby falou:

— Temos que ser espertas. Nossos cérebros estão piscando que nem árvores de Natal agora.

Eu me afastei dela. Estava me sentindo confusa, como se um dos meus amigos dos cogumelos tivesse se virado para mim no meio de uma onda e perguntado se eu poderia ajudar com o imposto de renda. Eu me senti sozinha, como se Abby tivesse me abandonado e virado normal sem mim. Também fiquei irritada, como se ela estivesse sugerindo que nosso amor não fosse pessoal, e sim químico. Como se não fosse mágica, e sim ciência. Eu tinha a impressão de que nosso amor era o oposto das drogas que nós antes usávamos para fazer nossos cérebros piscarem e para escapar de nossa vida décadas antes. Eu tinha a impressão de que estávamos nos curando, não nos drogando. Tinha a impressão de que éramos Julieta e Julieta, não Syd e Nancy.

Abby falou:

— Estou com medo do que vai acontecer quando essa parte do começo acabar para você.

— O que você quer dizer?

— Você nunca se apaixonou, então nunca passou por essa parte antes. Eu já. As coisas mudam. E eu quero que mudem. Eu quero a próxima parte, porque nunca passei por isso. Essa primeira parte não é a parte mais real. A próxima, quando paramos de cair juntas e pousamos lado a lado, é que é de verdade. Isso vai acontecer. Quero que aconteça. Mas tenho medo de que, quando acontecer, quando a gente pousar, você vá ficar decepcionada e em pânico.

— Parece que você está dizendo que estamos, sei lá, enfeitiçadas, e que logo isso vai passar e nós vamos nos amar menos do que agora.

— O que estou dizendo é que logo o feitiço vai passar e nós vamos ter que nos amar mais do que agora.

Depois de alguns meses, comecei a notar que nossos cogumelos do amor estavam acabando. Comecei a ver Abby como uma entidade separada de mim, e comecei a me sentir voltando ao normal. Para mim isso foi uma tragédia, porque eu achei que ela era a coisa que finalmente tinha me salvado de ser eu mesma. Achei que poderia ser *nós* para sempre agora. Abby tinha razão. Eu entrei mesmo em pânico. Uma noite escrevi esse poema para ela:

Cores

Dois anos atrás
Você era branco-pérola,
Eu era azul meia-noite.
Nós nos tornamos azul-céu.

Nada de pérola, nada de meia-noite,
Tudo azul-céu.
Mas agora, às vezes, você vai
A uma reunião, a um amigo, a uma opinião, a um show.
Quando você vai, me resta eu de novo.
Você leva sua pérola. Eu sinto minha meia-noite de novo.
Isso é certo, eu sei.
Meia-noite é como eu faço coisas.
Só pensei, por um minuto, que eu não era mais.
Sinto falta de não ser mais.
O fim do Começo é existir de novo.
Seremos lindas e fortes lado a lado.
Mas entre nós (entre pérola e meia-noite),
Eu gosto mais do azul-céu.

Vejo esse poema agora e penso: *Glennon, você está sempre tão desesperada para se encontrar e tão pronta para se abandonar. Você quer tanto ser vista quanto quer desaparecer. Sempre esteve desesperada para gritar "EU ESTOU AQUI" e para sumir ao mesmo tempo.*

Eu e Abby somos pessoas normais já faz uns anos agora. Estamos na parte seguinte agora. A onda inicial passou, mas às vezes somos azul-céu de novo. Não é mais um estado permanente; ele surge em momentos passageiros. Acontece quando fazemos amor, roubamos beijos na cozinha, nos entreolhamos quando as crianças fazem algo incrível. Na maior parte do tempo, porém, somos cores separadas. E isso é lindo, porque conseguimos ver de verdade uma à outra. Eu decidi que quero estar apaixonada por uma pessoa, não por um sentimento. Quero me encontrar no amor, não me perder nele. Prefiro existir a desaparecer. Vou ser meia-noite para sempre. E tudo bem.

Castelos de areia

Pergunte a uma mulher quem ela é, e ela lhe dirá quem ela ama, a quem ela serve e o que ela faz. *Sou mãe, esposa, irmã, amiga, profissional.* O fato de que nos definimos pelos nossos papéis é o que mantém o mundo girando. Também é o que nos torna livres e nos dá medo. Se uma mulher se define como esposa, o que acontece se ela e seu cônjuge se separam? Se uma mulher se define como mãe, o que acontece quando seus filhos saem de casa para fazer faculdade? Se uma mulher se define como uma profissional, o que acontece quando a empresa falir? *Quem somos* está perpetuamente sendo tirado de nós, então vivemos com medo em vez de viver em paz. Nós nos agarramos com tanta força às nossas pessoas, fechamos os olhos às coisas que precisamos encarar, evitamos perguntas que precisam ser feitas e, de mil forma diferentes, insistimos para amigos, parceiros e filhos que o propósito da existência deles é o que nos define. Construímos castelos de areia e então tentamos viver dentro deles, temendo a maré que inevitavelmente virá.

Responder à pergunta "Quem eu amo?" não é o bastante. Devemos viver vidas próprias. Para viver a própria vida, cada mulher também precisa responder: o que eu amo? O que me faz sentir viva? O que é beleza para mim, e quando eu paro e me permito ser preenchida por ela? Quem é a alma por baixo de todos esses papéis? Cada mulher precisa responder a essas perguntas agora, antes que a maré suba. Castelos de areia são lindos, mas não podemos viver dentro deles. Porque a maré sobe. É isso que marés fazem. Precisamos lembrar: eu sou a construtora, não o castelo. Sou uma entidade separada e completa aqui, olhos no horizonte, sol nos ombros, recebendo a maré. Reconstruindo, reconstruindo. Com energia. Com leveza. Nunca mudando. Sempre mudando.

Guitarras

É fim de tarde, e estou descansando depois de um dia de nove horas de trabalho. Abby enfia a cabeça no meu escritório e diz:

— Amor! Adivinha? Vou começar a jogar hóquei no gelo! Descobri um time que joga segundas à noite. Vou comprar o equipamento agora. Estou tão animada!

EU: Espera. Quê? Você joga *hóquei no gelo*?

ABBY: Não, mas eu jogava quando era pequena. Meus irmãos me colocavam no gol e eu ficava ali parada e deixava os discos quicarem em mim. Era tão divertido!

Divertido.

Essa história de "divertido" me confunde. Abby sempre me pergunta "O que você faz para se divertir?" Eu acho essa pergunta agressiva. O que é divertir? Eu não me divirto. Sou uma adulta. Eu cuido da família, trabalho, vejo reality shows ruins. *Ad eternum.*

Mas ainda somos recém-casadas, então ainda sou fofa.

— Que ótimo, amor!

Abby sorri, vem me dar um beijo na bochecha e vai embora. Fico encarando meu computador. Tenho tantas perguntas.

Por que ela pode se divertir? Quem tem tempo e dinheiro para *se divertir*? Vou dizer quem: todo mundo nessa família menos eu. Craig tem o futebol, Chase tem a fotografia, as meninas têm… tudo. *Todo mundo* tem alguma coisa, menos eu. Deve ser legal ter tempo para uma *coisa*.

Esse "deve ser legal" me faz parar. Isso sempre acontece.

Hum. Talvez seja *mesmo* legal. Talvez seja por isso que todos eles querem ter uma coisa.

Talvez *eu* queira ter uma coisa.

Eu fico sentada, pensando na coisa que eu sempre quis ser: uma estrela do rock. Tenho tanta inveja de estrelas do rock. Se eu pudesse ter um talento que não tenho, seria cantar. Quando era pequena, ficava na frente do espelho com minha escova de cabelo e me transformava em Madonna em um estádio. Agora é a P!nk. No carro, sozinha. Sou a P!nk. Sou a mais P!nk de todas. Sou mais P!nk que a P!nk. Sou Magenta.

Percebo que minha esposa, Madonna e P!nk tocaram minha campainha e estão me entregando um pacote. Tenho uma inveja louca de todas elas, e inveja é a seta vermelha que me indica o que fazer a seguir. Então, procuro "aulas de guitarra, Naples, Flórida" no meu telefone. Clico nos links. Encontro uma professora de guitarra que dá aulas para adolescentes em uma lojinha de instrumentos musicais a alguns quilômetros da minha casa. Eu ligo para ela. Marco um horário para a minha primeira aula.

Quando Abby volta para casa, eu a encontro no corredor, animada, pulando.

EU: Oi! Você pode cuidar das crianças na sexta depois da escola?
ABBY: Claro, por quê?
EU: Vou começar a fazer aula de guitarra. A vida inteira eu quis ser uma estrela do rock, então decidi virar uma agora. Vou aprender a tocar guitarra, aí vou escrever minhas músicas, aí quando a gente for a uma festa eu vou pegar a guitarra e as pessoas vão fazer uma rodinha e vão cantar junto. Elas vão ficar tão felizes porque estavam separadas e sozinhas até minha música ter juntado todas elas. E todo mundo vai pensar: *Ela é tão maneira.* Aí eu

provavelmente vou ser descoberta e vou acabar num palco em algum lugar cantando para milhares de pessoas. Eu não canto bem, eu sei que você está pensando nisso. Mas essa é a questão! Eu não vou ser o tipo de cantora que inspira as pessoas porque canta bem, vou inspirar as pessoas porque canto mal! Tipo, as pessoas vão me ouvir no palco e em vez de pensar: *Queria conseguir cantar que nem ela*, elas vão pensar: *Bom, se ela está cantando aí em cima, acho que posso fazer qualquer coisa.*

ABBY: Tá bom, amor. Tô tentando entender isso tudo. Você vai fazer aula de guitarra. É muito maneiro. E sexy. Espera, você falou que a gente vai começar a ir a *festas* também?

EU: Não.

Eu amo aprender a tocar guitarra. É difícil, mas abre outra parte de mim, uma que me faz sentir mais humana. Acho que a palavra para essa experiência deve ser *divertida*. Mas, para me divertir, tive que descer da Montanha do Martírio. Tive que pedir ajuda. Tive que sacrificar um pouco da minha superioridade moral, talvez perder alguns pontos na competição de "quem sofrer mais ganha". Acho que só ficamos amargos pela alegria alheia em proporção direta ao nosso comprometimento a não sermos alegres nós mesmos. Quanto mais faço as coisas que quero, menos amarga me sinto por ver as pessoas fazendo o que elas querem.

Fiz minha estreia como estrela do rock no Instagram recentemente. Toquei "Every Rose Has Its Thorn", e três vezes mais pessoas assistiram do que o número de lugares no Madison Square Garden. Estou dizendo... Magenta.

Tranças

Meu ex-marido tem uma namorada. Meses atrás, decidimos que estava na hora de nos conhecermos. Nós três marcamos de tomar café da manhã em um restaurante local. Eu cheguei primeiro, sentei em um banco, brinquei com meu celular e esperei. Depois de um tempo, vi os dois se aproximando e me levantei. Ela sorriu e, quando nos abraçamos, seu cabelo tinha o perfume de uma flor que não consegui identificar.

Pedimos uma mesa de frente para a água. Ela e Craig se sentaram de um lado, eu me sentei do outro e coloquei minha bolsa na cadeira ao meu lado. Quando o garçom se aproximou, eu pedi um chá quente. Ele trouxe a bebida para a mesa em um bulezinho branco. Eu não sabia sobre o que falar, então falei do bulezinho branco.

— Olha só! Que fofura. Um bule só para mim.

Na semana seguinte, recebi uma caixa pelo correio. Dentro havia dois bulezinhos brancos — dela para mim.

Quando minhas filhas vão para a casa do pai, ela está lá e trança o cabelo das meninas perfeitamente. Eu nunca consegui fazer tranças no cabelo das minhas filhas. Já tentei, mas sempre ficam tortas e patéticas, então ficamos com rabos de cavalo mesmo. Sempre que vejo uma garotinha com tranças complicadas, eu penso: *Ela parece amada. Ela parece ter uma boa mãe. Ela parece uma garotinha cuja mãe sabe o que está fazendo. Que antes era uma adolescente que sabia o que estava fazendo, que tinha várias amigas no colégio, que sentavam e faziam tranças no cabelo uma da outra e davam risada. Que era Dourada.*

Quando Craig e a namorada deixam as crianças lá em casa, ficamos parados na entrada em um círculo e somos simpáticos e sem jeito. Eu conto piadas demais e rio demais e alto demais. Cada um faz o melhor que pode. Às vezes, enquanto estamos ali, ela abraça minhas filhas e brinca com o cabelo delas. Quando isso acontece, Abby pega minha mão e aperta. Quando Craig e a namorada vão embora, eu abraço minhas filhas de novo. Elas parecem ter uma boa mãe e têm o perfume de uma flor que não consigo identificar.

Na última manhã de Ação de Graças, eu, Abby e as crianças acordamos cedo, entramos no carro e fomos até a Corrida do Peru no centro da cidade. No caminho, Chase leu um meme para nós que dizia: "Meu maior medo é casar com alguém cuja família participa da Corrida do Peru nas manhãs de Ação de Graças."

Craig e a namorada nos encontraram lá. Quando nos aproximamos da linha de partida, Craig e Chase foram para a frente; o objetivo deles era ganhar. A namorada de Craig, minhas filhas e eu paramos atrás de todo mundo; nosso objetivo era terminar a corrida, talvez. Abby ficou no meio, observando; seu objetivo era se certificar de que todo mundo alcançaria seu objetivo.

A corrida começou. Nós ficamos juntas por um tempo, depois nos afastamos. Na metade da corrida, vi a namorada de Craig numa corrida leve à minha frente. Eu sempre pensei em "apertar o passo" como uma metáfora, mas de repente senti meus pés literalmente apertando o passo. Comecei a correr mais rápido. Comecei a correr rápido demais. Comecei a correr tão rápido que me senti suando e arfando. Comecei a fazer estirões. Quando chegava perto da namorada de Craig, eu desviava bem à esquerda para que ela não me visse ultrapassar. À frente, vi Tish correndo sozinha, mas não diminuí o passo; deixei minha filha comendo poeira. Meu joelho começou a doer, mas também não parei pelo meu joelho. Eu atravessei a linha de chegada à frente da namorada de Craig. De longe.

Ainda tentando recuperar o fôlego, peguei uma garrafa de água e voltei para a linha de chegada para esperar as meninas. Procurei pelo mar de corredores e vi Abby, Tish, Amma e a namorada de Craig cruzando a linha juntas. Abby tinha terminado mais cedo e voltado, reunido todo mundo, se certificando de que todas chegariam juntas. Elas estavam rindo, felizes, Abby de um lado, a namorada de Craig do outro, Amma e Tish no meio. Ninguém pareceu notar minhas ausência ou minha vitória.

Alguns dias depois, saí para o jardim e liguei para Craig.

— Ela disse para Tish que a amava. Você não acha que é um pouco exagerado? Ela é sua namorada, não mãe deles. A gente precisa de limites. Você precisa ajudá-la com isso. E se ela for embora e magoar nossos filhos?

Tenho muito mais medo de que ela fique e ame nossos filhos.

Nós fizemos o jantar de Natal todos juntos este ano. Pedi para Craig fazer sua tradicional torta de maçã. Ele e a namorada trouxeram um doce de morango em vez disso. Quando Tish perguntou onde estava a torta, eu dei de ombros e pedi que ela não comentasse. Depois do jantar tiramos uma foto em família: todos nós e o cachorro. Depois, a namorada de Craig sugeriu:

— Certo, agora uma bem maluca!

Por que tantas sugestões? A gente não tira fotos malucas.

Meus três filhos concordaram que a foto maluca era a melhor. Depois sentamos e comemos o doce de morango. Meus três filhos disseram que era a melhor sobremesa de Natal que já tinham comido.

No dia seguinte, a namorada de Craig postou nossa foto maluca na internet. Ela escreveu: "Grata por ter encontrado um amor convidativo e gentil, que é inteligente e não julga, um tipo de amor que não tem limites."

Algum dia vou pedir a ela para me ensinar a trançar o cabelo das minhas filhas.

Algum dia vou aprender a ser mãe com ela, com Abby, como uma trança.

Segundos

À s vezes, quando um conflito mais acirrado surge entre mim e Abby, nós paramos de falar, respiramos fundo e dizemos: "Certo, não vamos agir como se fosse nosso primeiro casamento. Vamos agir sendo o segundo casamento." O que queremos dizer é o seguinte: não entremos em piloto automático aqui. Vamos usar o que aprendemos e aplicar. Vamos ser cuidadosas e sábias e vamos colocar nosso ego de lado e lembrar que estamos no mesmo time. Agora que sabemos mais, façamos melhor.

Eu teria me descrito como a diretora espiritual do meu primeiro casamento. Eu tinha a visão do nosso roteiro, e Craig estragou. Agora compreendo que isso acontece porque cada um tem seu próprio roteiro. Ninguém pode ser um ator coadjuvante na história de outra pessoa. Você pode fingir que sim, mas sempre vai haver subenredos se desdobrando dentro de si.

Sou muito controladora. Quero controlar as coisas. Isso acontece porque tenho medo. Tudo parece tão precário. Quando era mais nova, eu me fazia sentir mais segura controlando minha comida e meu corpo. Ainda faço isso. Mas conforme fiquei mais velha e me tornei esposa e mãe, encontrei outra coisa para tentar controlar e criar uma sensação de segurança: pessoas. Como a vida é assustadora e precária, controlar as pessoas que eu amo parece uma coisa responsável.

Além do fator medo, existe outra coisa que me faz querer controlar tudo, que é minha crença de que sou muito esperta e criativa. Acredito mesmo que tenho ótimas ideias, e que as pessoas estariam melhores se entrassem na minha. Esse tipo de controle se chama *liderança*.

Por muito tempo, eu controlei e liderei minhas pessoas e chamei isso de amor. Eu "amava" as pessoas até a morte. Meu papel na vida das pessoas que amo era o seguinte: *Eu existo para tornar todos os seus sonhos e esperanças realidade. Então vamos sentar e dar uma olhada nessa lista completa de sonhos e esperanças que criei para você. Presto bastante atenção, então pode confiar em mim. Eu VEJO você e conheço você melhor do que você mesmo. Você consegue colocar em prática tudo que eu quiser! Vamos começar!*

Mas não conseguimos sentir e saber e imaginar por outra pessoa. É isso que estou tentando compreender. A pessoa que está me ensinando isso é minha esposa. Minha esposa é incontrolável.

Eu amo minha esposa mais do que já amei qualquer outro adulto na vida. Antes de conhecê-la eu nem tinha muito medo de morrer. Agora a ideia da morte me deixa em pânico diariamente, não por causa da morte em si, mas por causa da ideia de não estar com ela. Morte, para mim, é basicamente o medo de perder Abby. Como amo Abby mais do que tudo, é óbvio que tenho que controlá-la mais do que tudo. Quero fazer todos os meus sonhos para ela se realizarem. Realmente quero só o meu melhor para ela. Dessa forma, tenho inúmeras boas ideias a dividir com ela sobre o que ela deveria fazer e vestir e comer e como ela deveria trabalhar e dormir e ler e ouvir. Mas toda vez que tento dividir minhas boas ideias — seja diretamente ou de forma disfarçada —, ela de algum jeito percebe o que estou fazendo, me chama a atenção e categoricamente recusa minhas tentativas. Ela faz isso com gentileza. Diz coisas como: "Eu sei o que você está fazendo, amor. Eu agradeço a tentativa, mas obrigada, estou bem assim."

Durante o primeiro ano do nosso casamento, eu achei que isso era só um desafio diferente e excitante. Supus que meu trabalho era descobrir novas formas de *lidar* com ela. Esta foi uma conversa real que tive com a minha irmã durante nosso primeiro ano de casamento, em resposta ao problema de Abby continuar a insistir que é a dona do próprio nariz:

EU: Certo, eu entendo, mas e se eu realmente souber *com certeza* que a minha ideia é melhor para ela do que a dela? Eu devo só *fingir* que acho a ideia dela boa? Devo só sorrir e deixar Abby tentar fazer o que pensou só para depois a gente usar a minha ideia quando a dela não funcionar? Quanto tempo vou ter que insistir nessa palhaçada? É um desperdício de tempo.

IRMÃ: Meu Deus. Certo. Se é assim que você tem que pensar nisso, Glennon, então tudo bem, tente fazer assim. Tente fingir até conseguir.

Então foi isso que eu fiz. Só sorri e fingi. Deixei que Abby liderasse, mas só porque essa era a minha estratégia de liderança disfarçada. Decidi que tentaríamos fazer as coisas do jeito dela por um tempo, até que nós duas víssemos a luz *juntas*. Por um ano inteiro, fomos espontâneas quando eu preferia ter um plano. Confiamos nas outras pessoas quando eu era cética. Nos arriscamos quando eu já tinha calculado que nossa chance não era boa. Deixamos as crianças tentarem coisas em que eu tinha certeza de que falhariam e pelas quais nos culpariam para sempre.

Nós vivemos, por um tempo, como se a vida fosse menos precária do que é, como se as pessoas fossem melhores do que são, como se nossos filhos fossem mais resistentes do que eu imaginava serem, e como se "as coisas, no geral, se resolvessem". Era arriscado e ridículo e irresponsável. As coisas não se resolvem sozinhas. Eu resolvo as coisas. EU RESOLVO AS COISAS, e se eu não fizer isso não existe resolução. Só existe caos.

Respirei fundo muitas vezes e comecei a fazer yoga diariamente para lidar com a minha ansiedade, e fiquei esperando as coisas darem errado para que eu pudesse nos salvar.

Eu continuei esperando.

E não é que as "coisas" continuaram, em geral, *se resolvendo*? E não é que eu comecei a me sentir mais feliz? E não é que nossos filhos ficaram mais corajosos, mais gentis, mais relaxados? E não é nossa vida ficou mais bonita? Foi totalmente irritante, para ser bem sincera.

Eu acho mesmo que seja possível que Abby tenha boas ideias.

Estou começando a desaprender as coisas em que costumava acreditar sobre controle e amor. Agora acho que talvez controle não seja a mesma coisa que amor. Acho que controle talvez seja o oposto de amor, porque o controle não deixa espaço para a confiança — e talvez amor sem confiança não seja amor, afinal. Estou começando a brincar com a ideia de que amor seja confiar no que outras pessoas sentem, sabem e imaginam também. Talvez amor seja respeitar o que as suas pessoas sentem, confiando que *elas saibam*, e acreditar que elas têm a própria ordem invisível para sua vida crescendo por baixo da pele.

Talvez meu papel com as pessoas que amo não seja imaginar a vida mais verdadeira e mais bela para elas e então forçá-las nessa direção. Talvez eu só deva perguntar o que sentem e sabem e imaginam. E então, não importa o quão diferente seja a ordem não vista delas da minha, perguntar como eu posso apoiar a *visão delas*.

Confiar nas pessoas é aterrorizante. Talvez se o amor não for um pouco assustador e um pouco fora do nosso controle, então não seja amor, afinal.

É selvagem deixar os outros serem selvagens.

Ideias

Uma noite, depois do jantar, eu, Abby, Craig, minha irmã e seu marido, John, ficamos horas sentados na mesa da cozinha. Havia música tocando ao fundo, as crianças corriam atrás de Honey na sala, e todo mundo bebericava chá ou vinho e ria até a barriga doer.

Eu puxei Honey para o meu colo, me virei para Craig e falei:

— Quero contar uma coisa.

Todos na mesa ficaram quietos.

Você se lembra daquele dia, dezoito anos atrás, quando ficamos sentados lado a lado na minha varanda — eu, enjoada com o início da gravidez, você, enjoado com o susto —, tentando decidir o que fazer.

Você se lembra de como interrompeu o silêncio?

Você disse:

— Eu estava pensando. E se a gente não se casar? E se a gente vivesse separado e criasse o bebê juntos?

Você sabia.

Uma semana antes de eu descobrir que estava grávida, minha amiga Christy me perguntou como nosso relacionamento estava. Eu falei:

— A gente tem que terminar. Não conseguimos nos conectar. Nem fisicamente, nem emocionalmente. Simplesmente não dá.

Eu sabia.

Mas eu tinha essa ideia — essa visão de como uma família deveria ser, o que eu deveria querer, quem eu deveria me tornar. Minha imaginação se tornou uma coisa perigosa quando deixamos que ela dominasse o nosso Saber.

A gente era tão novo e tão assustado naquela época. Ainda não tínhamos aprendido que o Saber nunca vai embora. Ele permanece ali, dentro de nós, sólido e inabalável. Só espera o tempo que for necessário para a neve cair.

Sinto muito por ter ignorado o nosso Saber. A gente não combinava. Nós tentamos, porque era a coisa certa a fazer, porque a gente achava que tinha que fazer isso. Porque *eu* achava que tinha que fazer isso. Mas certo não é real, e deveria é uma jaula. O que é selvagem é o que *é*.

Nosso Saber tinha razão o tempo todo. O que *é* durou. Porque cá estamos nós: tornando a sua ideia realidade. Sendo duas pessoas que não foram feitas uma para a outra, mas que são um time incrível para criar crianças lado a lado.

Eu espero que, o que quer que você faça a seguir, nasça de você, e não seja imposto a você. Espero que o resto da sua vida seja ideia sua. Se posso dar minha opinião, espero que possa confiar em si mesmo. Você sabe o que fazer. Você tem boas ideias, Craig.

Margens

Minha esposa e meu ex-marido jogam no mesmo time de futebol toda quarta-feira à noite. Depois do jantar, enchemos o carro de cadeiras e lanches, e fico com as crianças nas margens do campo assistindo ao pai delas e à mãe bônus delas trabalharem juntos para fazer gols.

Algumas semanas atrás, eu e as crianças estávamos assistindo e um casal mais velho sentou perto da gente. A mulher apontou para as meninas e perguntou:

— Suas filhas?

— Sim — respondi.

— O pai delas está jogando?

— Está, sim. É aquele ali. — Eu apontei para o Craig.

— Onde vocês moram?

— Aqui em Naples mesmo, mas separados. Nós somos divorciados.

— Ah, que legal que você ainda vem vê-lo jogar!

— Ah, a gente adora. Além disso, a mãe das meninas está jogando também. A gente vem ver os dois.

A mulher pareceu confusa.

— Ah! Eu achei que você fosse mãe delas.

— Eu sou! É a outra mãe delas.

Eu apontei para Abby. A mulher estreitou os olhos.

— Caramba — disse. — Aquela moça é igualzinha a Abby Wambach.

— Aquela moça *é* Abby Wambach.

— Uau! Seu ex-marido é casado com a Abby Wambach?

— Quase! *Eu* sou casada com a Abby Wambach.

Ela levou um bom minuto. Um minuto inteiro de silêncio. *Selah*. Velhas ideias e estruturas queimando, uma nova ordem das coisas nascendo dentro dela.

Então ela sorriu.

— Ah! Uau! — disse.

A primeira palavra de Tish foi "Uau". Uma manhã do início de dezembro na Virgínia, eu a tirei do berço e a levei até a janela do quarto. Abri a cortina e nós duas vimos o quintal coberto de branco. Era a primeira vez que ela via neve. Tish arregalou os olhos, esticou a mão para tocar a janela fria e falou:

— Uau.

Quando as pessoas encontram nossa família, elas arregalam os olhos e dizem "Uau" — de um jeito ou de outro —, porque nunca viram uma família exatamente igual à nossa. Nossa família é específica, porque nós somos pessoas específicas. Não usamos um plano criado por outras pessoas e então lutamos para nos fazer caber dentro dele. Nós criamos e recriamos nossa família muitas vezes — a partir do que há dentro de cada um de nós. Vamos continuar a fazer isso para sempre, de modo que cada um de nós sempre tenha espaço para crescer e crescer e ainda pertencer. É isso que família significa para mim: onde somos ao mesmo tempo acolhidos e livres.

Níveis

O ano era 2012 e me vi no consultório de uma terapeuta perguntando sobre estratégias para lidar com a raiva que uma traição me causava. A terapeuta disse:

— Sua ansiedade está controlando você, o que significa que você está perdida na própria cabeça. Você não sabe o que quer. Está muito desconectada. Você precisa lembrar como voltar para o seu corpo de alguma forma.

Ela então sugeriu que eu fizesse yoga. Na manhã seguinte, no caminho para o estúdio, eu me perguntei: *Por que eu deixei meu corpo para viver nessa minha mente tão perigosa?* Sento no tapetinho em uma sala com uma temperatura de quarenta graus e imediatamente me lembro do motivo.

Assim que eu paro, a neve cai, e eu mergulho no meu corpo. Começo a me sentir incomodada, agitada e irritada. *É por isso que eu saí!* Porque eu sou medo e vergonha embrulhada em pele. Eu não quero nem visitar o meu corpo, muito menos viver nele. Mas agora estou presa: o perímetro do tapetinho de yoga é meu mundo inteiro. As outras mulheres estão em silêncio. Não tem nada para ler nas paredes. Não tem escapatória. *Cadê o meu celular? A porta está ali. Eu posso sair. Não tenho que explicar nada.*

A instrutora entra, e eu a ignoro para continuar planejando minha fuga. Até que ela fala:

— Pare e saiba.

Aquela frase de novo. Eu quero tão desesperadamente saber. O que quer que seja que não estou vendo, o que quer que seja que outras pessoas sabem, seja lá o que as ajude a lidar com o mundo e simplesmente *viver*: eu quero saber.

Então eu permaneci naquele maldito tapetinho até saber.

Assim como eu permaneci nos meus vícios até saber.

Assim como eu permaneci no meu casamento até saber.

Assim como eu permaneci na minha religião até saber.

Assim como eu permaneci na minha dor até saber.

E agora eu sei.

Estou sentada no sofá com minhas amigas, tomando café. Meu cachorro está dormindo no colo de Saskia. Estamos ouvindo Ashley contar a história sobre quando ficou na sala de hot yoga até passar mal. Depois que ela diz "Tipo, a porta nem estava trancada", a sala fica quieta. Ashley disse algo importante. Saskia faz carinho na cabeça do cachorro. Karyn estreita os olhos. Eu penso:

A verdade nos meus trinta anos era: *Fique no seu tapetinho, Glennon. Ficar é o que está preparando você.*

A verdade nos meus quarenta anos é: *Eu estou pronta.*

Não vou ficar, nunca mais — em uma sala ou conversa ou relacionamento ou instituição que exige que eu abandone a mim mesma. Quando meu corpo me conta a verdade, vou acreditar nele. Eu confio em mim mesma agora, então não vou mais sofrer voluntariamente ou silenciosamente ou por muito tempo. Vou olhar para essas mulheres que precisam permanecer porque estão em seu tempo de fazer isso, porque elas precisam descobrir o que amor e Deus e liberdade *não são* antes de poderem descobrir o que *são*. Porque elas querem saber. Porque são guerreiras. Vou mandar cada gota da minha força e solidariedade para ajudá-las a passar por essa parte. Então vou pegar meu tapetinho e devagar, deliberadamente, sair com passos leves.

Porque eu acabei de lembrar que o sol está brilhando, o vento está agradável e essas portas, elas sequer estão trancadas.

Epílogo

Humana

No meu texto sagrado favorito, tem um poema sobre um grupo de pessoas desesperadas para entender e definir Deus.

Elas perguntam: *O que você é?*

Deus diz: *Eu sou.*

Elas perguntam: *Você é... o quê?*

Deus diz: *Eu sou.*

O que você é, Glennon?

Você é feliz?

Você é triste?

Você é cristã?

Você é herege?

Você é crente?

Você é cética?

Você é jovem?

Você é velha?

Você é boa?

Você é má?

Você é sombria?

Você é reluzente?
Você é certa?
Você é errada?
Você é profunda?
Você é superficial?
Você é corajosa?
Você é fraca?
Você é destruída?
Você é inteira?
Você é sábia?
Você é tola?
Você é doente?
Você é curada?
Você é perdida?
Você é encontrada?
Você é gay?
Você é hétero?
Você é louca?
Você é brilhante?
Você é enjaulada?
Você é selvagem?
Você é humana?
Você é viva?
Você tem certeza?

Eu sou.
Eu sou.
Eu sou.

Agradecimentos

A razão para este livro existir (a razão para *eu* existir) é a existência das pessoas listadas aqui que, a cada dia, dão o sopro de vida à minha arte e a mim:

ABBY: Se você é um pássaro, eu sou um pássaro.

CHASE: Você é o Saber da nossa família.

TISH: Você é o Sentir da nossa família.

AMMA: Você é o Imaginar da nossa família.

CRAIG: Por amar tão bem nossos filhos, por confiar em mim enquanto faço arte sobre nossa nova família, por seu humor, por sua brandura e por sua bondade implacável.

MÃE, PAI: Pela coragem paciente que me ajudou a encontrar e abraçar a mim mesma e ao amor da minha vida. Por confiar em mim enquanto eu aprendia a confiar em mim mesma. Eu prometo dar aos seus netos o mesmo presente que vocês me deram: uma vida livre e acolhida.

AMANDA: A maior sorte da minha vida é poder chamar a pessoa mais gentil, mais corajosa e mais inteligente da Terra de Irmã. Tudo de bom na minha vida nasce dessa sorte original. Minha sobriedade, minha família, minha carreira, meu ativismo, minha alegria e paz: é tudo porque você segue à minha frente e ao meu lado e às minhas costas. *Eu sou* por causa de você.

ALLISON: Sua genialidade artística está misturada à cada palavra escrita aqui e falada lá fora. Tudo isso é *nosso*. Obrigada por direcionar tanto do seu talento, dedicação, lealdade e amizade para mim. Você é puro ouro.

DYNNA: Obrigada pelo seu cérebro e pelo seu coração, pela sua devoção determinada à nossa missão e irmandade, e por nos mandar para a Lua.

LIZ B: Inúmeras vidas de mulheres e crianças mudaram porque você as vê, acredita nelas e trabalha incessantemente por elas. Eu nunca conheci alguém que use sua única vida com tanta beleza e causando tanto impacto quanto você. Obrigada por ser o pulso da Together Rising.

NOSSAS VOLUNTÁRIAS E GUERREIRAS DA TOGETHER RISING: Katherine, Gloria, Jessica, Tamara, Karen, Nicol, Natalie, Meghan, Erin, Christine, Ashley, Lori, Kristin, Rhonda, Amanda, Meredith e Grace — por incansavelmente forjar a ponte entre dor e ação. E a Kristen B, Marie F e Liz G — por colocar sua maravilhosa confiança em nosso trabalho.

WHITNEY FRICK: Por ser a campeã, defensora e embaixadora do meu trabalho na última década. Por acreditar quando as ideias são invisíveis, e por trabalhar incansavelmente para me ajudar a torná-las reais.

MARGARET RILEY KING: Por sua tenacidade, visão, humor, sabedoria e amizade.

JENNIFER RUDOLPH WALSH: Por confiar na nossa ordem invisível até ela se tornar uma festança nacional.

KATY NISHIMOTO: Por seu amor e lealdade, e por ser o gênio silencioso por trás de tantas coisas verdadeiras e belas.

TIO KEITH.

TODOS NA DIAL PRESS E NA RANDOM HOUSE: Por dedicar totalmente seu talento e paixão a *Indomável*. E um obrigada especial a Gina Centrello, Avideh Bashirrad, Debbie Aroff, Michelle Jasmine, Sharon Propson, Rose Fox, Robert Siek, Christopher Brand e à lendária Susan Kamil (*in memoriam*). E a Scott Sherratt, por fazer nosso audiolivro ser mágico. Fico em êxtase por estar na mesma equipe que vocês.

LIZ G: Por ser a Santa Padroeira de *Indomável*, a porra de um guepardo e por acreditar em magia e em liberdade e nas mulheres e em mim.

KARYN, JESSICA, ASHLEY: Por me considerarem sua amiga apesar de eu não sair de casa ou responder suas mensagens.

KAT, EMMA: Por me mostrar como é nunca ter sido domada.

Às Indomadas:
Que nós as conheçamos.
Que nós as criemos.
Que nós as amemos.
Que nós as leiamos.
Que nós as elejamos.
Que nós as sejamos.

SOBRE TOGETHER RISING

Fundada em 2012 por Glennon Doyle, a Together Rising existe para transformar a dor coletiva em ação. Seja retirando crianças do alto mar em frente a campos de refugiados na Grécia, fornecendo acesso a tratamento de câncer para mães solteiras, reunindo famílias separadas na fronteira dos Estados Unidos — a Together Rising identifica o que causa dor dos doadores, e então conecta a generosidade desses doadores com pessoas e organizações que trabalham ativamente com tais causas.

A Together Rising já arrecadou mais de 20 milhões de dólares para pessoas que precisam, e tem como média de doação o valor de 25 dólares, provando que presentes simples podem mudar o mundo de modo revolucionário.

Como alguns patronos dedicados cobrem diretamente todos os custos administrativos, cem por cento do que é arrecadado em doações pessoais é direcionado para um indivíduo, uma família ou uma crise. Por favor, considere juntar-se ao Team Love da Together Rising com uma doação mensal. Essas doações permitem que a fundação seja rápida ao injetar fundos em situações de crise e salve vidas.

www.togetherrising.org
Instagram: @Together.Rising
Twitter: @TogetherRising
Facebook.com/TogetherRising

Este livro foi impresso pela Vozes, em 2024, para a HarperCollins Brasil. A fonte do miolo é Bembo Book MT Std. O papel do miolo é avena 80g/m², e o da capa é cartão 250g/m².